IL FAUT TUER BIRGITT HAAS

Né en 1934 à Alger, Guy Teisseire fut critique de cinéma durant les premières années de sa carrière journalistique. A la guerre d'Algérie il fut mobilisé et affecté au service psychologique de l'armée. Reporter militaire de 1957 à 1958 il croise sur son chemin un certain nombre d'agents secrets. Plus tard, il retrouve son métier de journaliste et devient critique de cinéma à L'Aurore. Depuis il rédige de nombreux articles pour différents journaux dont Le Quotidien *et* Le Matin. *Ses romans, qu'il s'agisse de* Il faut tuer Birgitt Haas, Un peu plus loin que l'Occident *ou* La main d'Abraham *reflètent le même point de vue original, à la fois pessimiste et désabusé sur la relativité de toute morale en milieu politique.*

Sur le Champ-de-Mars de Colmar l'atmosphère est franchement sinistre. Bauman est couché, mort, sur la neige, pour rien : c'était Birgitt Haas qu'il fallait tuer. Les ministres de l'Intérieur, français et allemands, leurs services secrets et toutes les polices, parallèles ou non, n'auront réussi qu'à s'approcher de la jeune terroriste allemande. Le plan se déroulait, prévu dans ses moindres détails quand l'impondérable a surgi, bouleversant le jeu et redistribuant les cartes.

Ce suspens fait de volte-face incessantes dure ainsi jusqu'à la dernière ligne. Dans Munich, puis dans Colmar, nous suivons Bauman devenu à son insu le misérable appas sexuel offert à Birgitt, cette louve aussi tendre que dangereuse. Le piège se refermera dans une atmosphère d'angoisse mêlée de remords, un remords qui n'épargne personne, ni la terroriste hantée par ses crimes, ni Wrinkler le tueur, ni Athanase, chef du service secret et ancien de Londres et d'Alger. Qu'ils soient au service de la loi, ou hors-la-loi, ils se posent tous la même question : Pourquoi tuer ? Et aucun ne peut répondre.

GUY TEISSEIRE

Il faut tuer Birgitt Haas

ROMAN

J.-C. LATTÈS

*— Comment vous arrangez-
vous avec votre conscience?
— Je ne m'arrange pas.*

(Dialogue d'Athanase
avec le ministre.)

I

ON DEFEND L'OCCIDENT

MES collègues ont toujours blagué mon peu d'intérêt pour la balistique. C'est pourquoi je ne saurais dire exactement combien de centièmes de seconde la balle avait mis pour atteindre Bauman. Mais pour lui ça valait une éternité. On avait attendu mon arrivée pour recouvrir son visage et je pus le regarder une dernière fois. Autant qu'il m'en souvienne, je ne lui avais jamais trouvé dans le passé un air aussi serein et reposé. Aujourd'hui encore, je serais prêt à jurer qu'un sourire adoucissait le pli de ses lèvres. Je me surpris à murmurer : « Maintenant il est heureux », et mon adjoint Cavana me demanda ce que j'entendais par là. Pour Cavana tout était simple, le bonheur, le malheur, les bons, les méchants, le noir, le blanc. Cavana n'avait pas besoin d'être mort pour être heureux. Il appartenait à cette espèce d'individus bardés de certitudes que nous envoient les universités et les grandes écoles. Fils et petit-fils de nantis, il avait choisi le service de l'Etat comme le plus court chemin au pouvoir politique. Dès notre première rencontre j'avais flairé l'arriviste. Sa manière de me donner du « monsieur le Directeur » à tout bout de champ m'irritait et ses attitudes étaient à ce point contrefaites que sa conversation m'était devenue insupportable.

Longtemps j'avais cru qu'on finirait par lui donner une sous-préfecture, peut-être même une préfecture, et qu'il disparaîtrait de mon univers. Mais les appuis politiques qu'il s'était trouvés dans la Majorité l'incrustaient à ce poste et je sus bien vite qu'on me l'avait adjoint non comme assistant mais comme espion. C'est un fait : je l'avais sans cesse dans les jambes. Il suffisait que je traverse le couloir pour entrer dans un des bureaux de mon service pour voir son élégante silhouette sanglée dans des complets amincissants se découper à l'autre bout de la pièce.

Quand il m'arrivait de faire tablée avec des fonctionnaires d'autres ministères au restaurant voisin, Cavana ne tardait pas à faire irruption avec sa petite cour particulière d'énarques et s'installait comme par hasard à la table voisine, d'où il pouvait entendre nos conversations.

N'ayant jamais eu l'âge d'un comploteur politique, je m'amusais en songeant qu'il n'aurait jamais grand-chose à vendre à ses employeurs. Il ignorait probablement qu'une enquête confidentielle ouverte sur mon ordre m'en avait plus appris sur lui qu'il n'en saurait jamais sur moi.

Cavana se moquait éperdument de la bonne marche de nos affaires. Il jouait la carte de Charrier, l'ancien premier ministre en disgrâce, qui avait juré d'avoir la peau du Président. Chaque vendredi, à l'heure du déjeuner, il rencontrait ce personnage aux activités nauséabondes dans un appartement du quartier Montparnasse et le mettait au courant de tous nos problèmes de sécurité.

« C'est une trahison au sens exact du terme, m'avait dit le ministre, mais nous devons considérer que Charrier prépare la relève. »

Lui aussi pariait sur la chute prochaine du Président, dont les sondages accusaient une popularité du cycle perturbé... Alors, alors...

J'aurai tout le loisir de vous entretenir de ce personnage peu ragoûtant au cours du récit de cette aventure sans dignité, dont personne n'est sorti tout à fait propre...

Il faisait trop froid ce soir-là sur le Champ-de-Mars de Colmar où Bauman venait de recevoir sa première et dernière balle pour que je puisse supporter les réflexions de Cavana. Au lieu de répondre à sa question, je lui demandai s'il avait songé à appeler un prêtre. Il m'indiqua d'un mouvement de menton un jeune homme transi au visage de renard dont le col roulé et les jeans sombres ne laissaient rien deviner de l'état ecclésiastique. On avait dû le tirer du lit, pensai-je, et il n'avait pas eu le temps de mettre son veston où devait être accrochée sa croix de métal. Ailleurs qu'à Colmar, je ne m'en serais pas formalisé, mais, dans ce pays de tradition, ce prêtre famélique aux cheveux mal coupés et à la mise négligée ne cadrait pas avec le décor...

Je m'approchai et lui offris une cigarette qu'il accepta en frissonnant.

« Ils ne vous retiendront pas longtemps, dis-je pour le rassurer.

— Un de vos amis?

— Si l'on veut. »

Il s'était mépris sur mon rôle et mon personnage à cause, sans doute, de mon arrivée tardive sur les lieux. Je ne le détrompai pas.

« Vous savez, me dit-il avec une pointe de tristesse dans la voix, je suis venu trop tard. C'est regrettable. »

Je pensai au contraire que le tireur avait bien fait son travail...

Le jeune prêtre fit une grimace et son visage de renard prit une tournure insolite. Je n'avais sans doute jamais vu de renard triste.

« Nous arrivons toujours trop tard. On nous appelle quand tout est fini. Au début, c'est désespérant... »

Il était précocement voûté et, à ses joues creuses, je devinai qu'il devait être mal portant.

« Oui, on s'habitue... Je pense que les médecins et les policiers doivent ressentir la même déception à force d'échecs... Mais, pour nous, c'est terrible... La responsabilité... »

J'avais le regard fixé sur la trace que le corps de Bauman avait laissée dans la neige et je ne l'écoutais plus. Sa conversation me parvenait par bribes...

« Vous comprenez, c'est une lutte pour une âme... Le diable, mais qui croit encore au diable... Il nous faut compter avec la Miséricorde divine... »

Il rabâchait ce qu'on lui avait appris de probabilités en y ajoutant ses propres doutes.

12

« Vous avez fait ce que vous pouviez, dis-je, nous vous en sommes très reconnaissants... Evidemment, de votre point de vue, il aurait mieux valu qu'il agonise jusqu'à votre arrivée. »

Je dis cela et le regrettai aussitôt en voyant son visage s'affaisser. Mais, à la différence de nos parents qui redoutaient la mort subite comme réservée aux impies — qui n'ont pas mérité la chance de se repentir — j'avais vu trop de gens mourir de morts lentes et atroces sans aucun repentir pour ne pas être irrité par des croyances révolues. Quitte à m'en tenir à des traditions, je préférais la vieille formule populaire : « Il est mort comme il a vécu. »

En fait, pour Bauman, c'était bien le cas : il était mort comme il avait vécu, sans savoir pourquoi.

Les jours, les mois et les années ont passé depuis cette fatale soirée de Colmar tout environnée de neige et de froid. J'avais connu d'autres soirées dramatiques dans le froid et la neige, à Cassino d'abord, puis à Vienne pendant la drôle d'après-guerre et plus tard dans le no man's land de Berlin, mais aucune ne m'a laissé un souvenir aussi amer.

L'ambulance était arrivée et deux infirmiers s'affairaient à y installer la civière. On m'invita à monter dans une grande voiture noire qui devait nous conduire au commissariat central de la ville. La neige avait recommencé à tomber lourdement et, lorsque nous traversâmes la place de la République, le général Rapp croulait sous son bonnet blanc.

Je n'avais pas revu Colmar depuis vingt-cinq ans.

A cette époque-là roulait encore le vieux tramway de Wintzenheim dont les caténaires jetaient des gerbes d'étincelles dans les virages. Excepté la disparition du tramway, le centre de la ville n'avait pas tellement changé. La brasserie Meistermann était encore éclairée et on pouvait deviner derrière les vitres embuées les garçons en tablier blanc dansant entre les tables, le plat de choucroute dans une main, le carafon de riesling dans l'autre...

Je me demandais si Bauman était un jour entré chez Meistermann. Le souvenir que je conservais de cette brasserie célèbre était celui d'un Mardi gras où toute la ville semblait s'être travestie. Les convives se formaient en farandoles et nous aspergeaient de confetti, si bien que j'avais pris la fuite assez rapidement. Dehors, on ne croisait que dominos et arlequins. Dans les encoignures, les filles, sous l'anonymat des masques, se laissaient trousser hardiment par de joyeux gaillards qui n'hésitaient pas à brandir leur sexe et j'avais vu avec stupéfaction une splendide créature vêtue uniquement d'une guêpière et de bas résille faire l'amour debout contre un arbre avec un aviateur dont elle avait coiffé la casquette. Si prude le reste de l'année, ce vieux bastion protestant se défoulait un jour par an.

Je n'imaginais pas Bauman jouant à des jeux de ce genre. Tout revêtait toujours pour lui un air de gravité. Je pense qu'il était normalement obsédé par les choses du sexe, bien que la normale soit dans ce domaine affaire de pure subjectivité, mais il dissociait le plus souvent les impulsions physiques du sentiment pur et, lorsqu'il tombait amoureux, cela prenait une tournure de maladie qui effrayait les femmes. Une grande partie de sa souffrance venait sans doute de là.

Le destin fut un peu trop sollicité dans cette histoire pour que je l'invoque à propos de ma rencontre avec Bauman. Cela s'était passé de manière fort saugrenue, bien que n'importe quel spectateur eût jugé la scène bien amenée, comme disent les gens de théâtre.

Dans le petit restaurant des Gobelins où nous avions pris place à des tables voisines, lui devant une salade et un yaourt, moi devant un bœuf bourguignon, je me serais sans doute contenté de l'observer une fois pour toutes et je ne serais plus jamais retourné dans cet établissement de troisième ordre où les émanations d'eaux grasses se mêlaient désagréablement aux vapeurs de café qu'un percolateur antique ventilait à travers la salle.

Nous étions aux derniers jours de l'été précédent. Septembre avait été chaud et l'automne s'annonçait lointain. Et puis, comme il arrive souvent à Paris, le ciel s'était couvert d'un coup, le mercure avait dégringolé brutalement à dix degrés et tout le monde s'était mis à tousser. C'est sans doute la raison pour laquelle je commençai par mettre sur le compte d'un rhume les reniflements qui venaient de la table voisine. Mais, en jetant un regard furtif dans la direction de Bauman, je vis qu'il pleurait. Il avait repoussé son assiette de salade et, la tête enfouie dans ses mains torturées, il sanglotait honteusement comme pleurent les hommes qui ne croient plus en avoir le droit. Enfants, nous laissons éclater nos chagrins sans pudeur. Nous ameutons l'entourage de nos contra- riétés et de nos fureurs. Mais, avec les années, nous apprenons la pudeur et les émotions ren- trées. Bauman n'avait jamais tout à fait appris. A trente-six ans, malgré sa grande carcasse et les rides profondes qui barraient son front, il ressem- blait à un vieux petit garçon qu'on a puni une fois de trop.

Je ne suis pas sensible aux épanchements pu- blics et le spectacle d'un homme en pleurs est une chose qui m'irrite profondément et choque mon sens de la dignité. Dans des circonstances nor- males, je crois que j'aurais détourné la tête, écourté mon repas, demandé l'addition et fui cette salle lugubre et désertique. J'avais vu Bau- man, je savais à quoi il ressemblait et ce qu'il fal- lait penser de la solidité de ses nerfs.

Mais un mauvais génie avait écrit pour moi le déroulement de cette pénible soirée. Au lieu de me lever et de partir, je remplis un verre de vin et le tendis à Bauman :

« Tenez, dis-je, c'est encore le meilleur remède que je connaisse contre le vague à l'âme. »

Il me regarda à travers ses mèches blondes mal peignées et dans ses yeux mouillés et transparents je lus un désespoir intense.

Ce soir-là, nous n'échangeâmes pas plus de deux phrases. Il but le verre de vin et me dit merci en grimaçant un sourire à travers ses larmes.

Notre voiture venait d'arriver au commissariat central de Colmar. J'étais venu là en simple spectateur et il avait été convenu avec les autorités locales que mon nom n'apparaîtrait jamais au cours de l'enquête qui serait confiée au service régional de police judiciaire. Bien entendu, cette enquête n'aboutirait pas. On enverrait deux jeunes inspecteurs interroger les témoins, s'il y en avait, et ils feraient leur rapport.

Au ministère, nous détenions le dossier complet de l'affaire à laquelle la mort de Bauman mettait un point final.

Par déférence, le commissaire me donna le portefeuille et les divers objets trouvés dans les poches du défunt. Je déposai côte à côte sur le bureau un passeport, deux tablettes de chewing-gum, un nébuliseur de Ventoline, un ticket d'autobus usagé, un tract de propagande pour une élection locale et un trousseau de clefs. Le portefeuille contenait des cartes de visite à des noms divers, des cartes accréditives, une dizaine de Deutschmarks, douze billets de dix francs et quelques photos. Elles s'étaient craquelées et rayées à force de passer de poche en poche et à ces craquelures d'inégale profondeur on pouvait presque deviner leur âge. Je ne voulais pas les examiner devant tous ces gens de police autour de moi. C'est pourquoi je demandai qu'on fît un paquet du tout et qu'on me le remît à mon hôtel.

Cavana, qui nous avait suivis sans rien dire, toussa légèrement pour attirer mon attention.

« C'est au sujet de sa femme, Madeleine..., bredouilla-t-il avec un visible embarras. J'ai jugé utile de la prévenir... Elle arrive.

— Quand?

— Le premier avion du matin...

— Vous avez songé à l'histoire qu'il faudra lui raconter, au tissu de mensonges que nous devrons fabriquer ce soir même... »

J'étais furieux :

« Parce que, si vous n'y avez pas songé, si vous n'avez pas d'idée là-dessus, ne comptez pas sur moi pour faire le sale boulot. J'en ai eu plus que ma part.

— Eh bien, fit-il, je pense qu'il vaut mieux lui dire une partie de la vérité!

— Ah! oui, et quelle partie de la vérité?... Je ne connais qu'une manière de ne pas dire toute la vérité, c'est de ne raconter que des mensonges. Inventez une histoire qui se tienne pour qu'elle se sente concernée, faites appel à son sens des responsabilités, à l'intérêt national. Elle y sera sensible : c'est une bourgeoise conservatrice. Donnez le beau rôle à son mari. Même si elle se foutait de lui... Pensez à l'enfant aussi!

— Vous ne voudriez tout de même pas faire de Bauman un héros, dit-il avec ce sourire qui me donnait envie de lui balancer mon poing dans la figure.

— C'est cela, un héros... Il vaut bien les petits salopards qui grouillent dans nos ministères. Et je vais vous dire une autre chose, Cavana. Non seulement j'ai l'intention de faire de Bauman un héros, mais je demanderai pour lui la croix de la

18

Légion d'honneur ou quelque chose du même genre dans la prochaine promotion du ministère. »

Nous nous tenions un peu à l'écart du groupe des policiers de Colmar dans le grand bureau du commissaire central auquel un mobilier genre Knoll récemment installé ne parvenait pas à donner un aspect moderne. Cavana et moi nous exprimions à voix basse, mais la tension qui croissait entre nous devait être sensible même à ceux qui ne pouvaient entendre notre conversation, car, lorsque je me retournai pour partir, je lus de la gêne dans les regards des hommes immobiles et silencieux. Je tendis la main au commissaire, saluai de la tête ses adjoints. La voiture était dehors, le chauffeur au volant. Je sortis à pas rapides, Cavana sur mes talons. J'avais compté rentrer la nuit même à Paris, mais l'initiative de mon adjoint m'imposait de rester. Je ne pouvais le laisser raconter n'importe quoi à Madeleine Bauman.

Comme le chauffeur allait refermer la porte derrière moi, Cavana se pencha et, soudain très respectueux, me demanda si j'avais des consignes particulières pour lui :

« Oui, dis-je, allez vous faire foutre! »

Je me fis conduire à l'hôtel du Champ-de-Mars où l'on avait retenu une chambre pour moi. Il ne neigeait plus et, lorsque je descendis de voiture, je constatai que l'air était plus froid et plus sec. Je pris rapidement possession de ma chambre, me livrai aux systématiques vérifications de sécurité qu'on m'avait apprises vingt ans plus tôt et que nous ne cessions d'améliorer d'année en année : contrôle des ampoules, examen de la prise d'eau, de la chasse des W.-C., du matelas et du sommier (pour avoir oublié un détail de ce genre, un agent de l'O.L.P. avait été volatilisé durant son sommeil quelques années plus tôt dans sa chambre d'hôtel à Rome, des agents israéliens ayant glissé sous son matelas une bombe commandée à distance). Je n'avais aucune raison de me croire particulièrement visé, mais la routine est la routine et, dans le métier que j'exerce, c'est en s'y pliant rigoureusement qu'on finit par mourir dans son lit et pas nécessairement à cause d'une bombe dans le matelas.

N'était la balle que m'expédia dans l'épaule un de mes agents maladroits au cours d'un exercice de tir, je n'ai jamais senti la réalité immédiate d'un danger physique, hormis bien sûr les années de Résistance et les pénibles épisodes d'Alger. Mais tout cela était bien lointain. Et nous aurions eu tendance à croire que nous étions des fonctionnaires comme les autres, se rendant à leur bureau de neuf heures à midi et de deux heures à six heures, avec deux journées de détente par semaine et la perspective d'une retraite confortable. Et puis, de temps en temps, il y avait quelque part une tombe fraîche à fleurir.

N'allez surtout pas croire que j'appartiens à l'un de ces beaux réseaux de renseignements et d'espionnage comme on en décrit dans les romans et comme il en existe en effet dans tous les pays. Mes attributions, bien qu'assez marginales, se limitent à la sûreté du territoire : cela signifie que je n'ai aucune compétence d'action au-delà de l'hexagone... Toutefois, depuis que les nations d'Europe sont de plus en plus dépendantes les unes des autres économiquement et politiquement, il nous arrive d'être sollicités par tel ou tel pays de la Communauté sur des affaires qui nous concernent tous solidairement. L'affaire Bauman était de celles-là.

Je regardai ma montre. Il était un peu plus de dix heures et avec un peu de chance les cuisines n'auraient pas fermé chez Meistermann. Je branchai un détecteur de présence — un de ces appareils minuscules qui déclenchent une sonnerie stridente si un volume d'air égal à celui d'un bébé se déplace dans un rayon de dix mètres — verrouillai ma chambre et conservai la clef sur moi.

La neige collait encore aux chaussures lorsque je traversai la place, mais il n'allait pas tarder à geler. Par chance, le chef de Meistermann était encore à ses fourneaux. Je m'installai à une petite table au fond de la salle, non loin des cuisines d'où montaient des effluves de choucroute. Je commandai un plat d'écrevisses au riesling que j'arrosai d'une carafe du même vin. Le froid qui m'avait saisi dehors s'éloigna peu à peu de moi et laissa place à une certaine quiétude.

Je me trouvai soudain à des années-lumière de l'infâme restaurant des Gobelins et du Bauman bien vivant et pleurnichant devant son yaourt. Et pourtant le souvenir me harcelait.

Comme tout eût été plus simple si je m'en étais tenu avec lui à ce verre de vin offert. Autour de moi, j'entends toujours murmurer que la vieillesse endurcit et rend indifférent à tout. Il faut croire qu'elle agit sur moi inversement. Au fur et à mesure que les années passent, je me sens moins atteint dans ma carapace vigoureuse que dans mes sentiments profonds vis-à-vis des autres. A force de creuser la nature humaine et d'y découvrir des secrets anodins, je suis devenu plus tatillon, plus curieux. Les choses me paraissent trop anormalement évidentes. Pour reprendre une expression populaire, j'aurais tendance à « chercher midi à quatorze heures ».

Je vous l'ai déjà dit, c'était l'automne et, la plupart des gens de nos services rentrant de vacances, nous avions l'impression d'avoir beaucoup moins de paperasserie à compulser. Les « délégations de signature » toujours valables étaient une bonne excuse pour échapper à la corvée du courrier. D'un autre côté, ma femme était restée dans notre maison du Luberon, et je me sentais encore en congé.

Je me suis cherché bien des raisons, bien des excuses, bien des mobiles pour expliquer mon retour au bistrot des Gobelins. J'étais en fait tout simplement heureux d'échapper à la routine et curieux d'aller regarder de près une espèce d'individus dont j'avais perdu le contact depuis des années, ces gens qui vivent, souffrent et meurent en rechignant parce que ça leur fait mal, ces gens qui appellent au secours quelquefois et que nous n'entendons pas, parce que nous avons pris l'habitude de côtoyer des brutes et des cyniques.

Quand j'entrai pour la seconde fois dans le restaurant, je trouvai Bauman à la même place et je me glissai sans hésiter à la table voisine. Il me regarda en feignant de ne pas me reconnaître et je pense que d'instinct j'en fis autant. Tacitement, nous fûmes d'accord pour oublier le pénible épisode des larmes. Etait-il gêné que j'aie été témoin de sa défaillance, c'est probable, car il affecta toujours par la suite une attitude de dignité que venaient seulement contrarier de temps à autre le tremblement de sa voix, la pâleur de son visage ou la crispation de ses doigts.

Comme il entre dans mon métier une part systématique d'observation et de déduction, sans me prendre nécessairement pour Sherlock Holmes, j'avais fait de Bauman l'objet de mes investigations. Je savais déjà tant de choses sur lui que cette manie m'agaça d'abord. J'avais l'impression que doit ressentir un écrivain qui une fois le mot *Fin* inscrit au terme de son manuscrit, se prend soudain à reconsidérer son personnage, à penser qu'il ne colle pas très bien avec l'intrigue, qu'il est comme une pièce fausse dans un jeu d'échecs, un roi à la place d'une tour, par exemple, ou encore la carte en trop, le valet de cœur double qui vous fait percevoir qu'il y a traquenard quelque part.

Mais, avec Bauman, la remise en question n'alla pas jusque-là. Et ce fut sans doute une erreur. Je me bornai à un examen superficiel. De toute évidence, il traversait une sérieuse crise financière. Je m'en étais aperçu au rétrécissement de ses menus. Au début, il lui arrivait de commander un repas complet qu'il couronnait d'un dessert englouti goulûment. Mais bientôt il se contenta d'un seul plat avalé avec le même appétit. Puis il s'en tint à une salade. Chez certains déprimés, la nourriture joue un rôle sécurisant, et Bauman, ne pouvant se raccrocher à la gourmandise, dépérissait de jour en jour. Il avait une mine affreuse et je me sentais gêné de lui imposer la vue de mon bœuf et de mes sorbets.

Sur la manière d'entrer physiquement en contact avec les gens, il y aurait des volumes à écrire. Sur celle de communiquer verbalement avec eux, une brochure suffirait. Je m'en tiens généralement au vieux truc du journal. Bauman lisait parfois distraitement une feuille du soir. J'appelai donc la patronne et demandai le programme des spectacles (ce genre de procédé n'est guère efficace dans un restaurant d'hôtel, où vous risquez de vous voir proposer ce qu'on appelait autrefois un « portefeuille de lecture »). La brave dame se confondit en excuses, invoqua l'incurie de son mari, celle des clients, je ne sais quoi encore, pour m'expliquer que son établissement était totalement démuni de la moindre gazette. Je jetai un regard implorant en direction de Bauman, qui sourit et m'offrit son journal.

A partir de ce moment, tout fut très facile. Je ne prétends pas que Bauman fut plus bavard ni que moi-même je me lançai dans des discours. Mais nous eûmes tout loisir d'évoquer la couleur du temps, l'épidémie de grippe qui menaçait, bref, d'avoir l'air le plus anodin possible.

Cependant Bauman crevait toujours visiblement de faim. Je trouvais alors toutes sortes de prétextes pour ne pas finir mon assiette de fromage ou lui abandonner la moitié de mon bœuf. J'invoquais des malaises digestifs, une perte d'appétit soudaine due probablement à cette sinistre grippe, la nécessité de conserver ma ligne et je lui demandais comme un service de terminer mon plat pour ne pas vexer la patronne ou parce que j'avais la manie des assiettes bien nettoyées. Tout autre que Bauman m'aurait considéré comme un parfait raseur et envoyé au diable. Lui, au contraire, avait sauté sur l'aubaine. Il y avait bien trop longtemps que plus personne ne lui parlait. Je ne sais s'il goba mes mensonges, mais il fit honneur à mes reliefs.

A la fin, il était devenu évident qu'il n'avait même plus les moyens de s'offrir un yaourt et nos rapports n'avaient évolué que dans le sens où il mangeait désormais sur mon compte.

Je retournai en tout et pour tout une dizaine de fois aux Gobelins. Mon menu ne variait guère. Je restais fidèle au bœuf cuit dans son jus, un plat abandonné pendant les mois chauds et que je retrouvais toujours avec plaisir comme les premières feuilles de l'automne. Les menus évoluent ainsi avec le cours des saisons, à moins que vous ne vous en teniez au steak pommes frites comme le font souvent les Parisiens du 1er janvier au 31 décembre.

J'éprouve un grand respect pour la cuisine de mon pays. C'est une des valeurs sûres de notre patrimoine. Car, pour le reste, j'ai perdu la plupart de mes illusions. Mon métier ne se conçoit pas sans un profond « sens de l'Etat » et c'est une piètre révélation que de s'apercevoir un jour qu'on se bat pour défendre quelques recettes de cuisine et une centaine de fromages.

Nous avions alors pour ministre un vieux garçon atrabilaire qui avait gagné ma sympathie parce qu'il partageait mon scepticisme. Il ne croyait pas un mot des discours qu'il prononçait et en prononçait d'ailleurs le moins possible, contrairement à son prédécesseur, gros homme ridicule et fier-à-bras, que nous avions surnommé « Matamore ».

Il m'avoua un jour au cours d'une promenade dans les jardins du ministère — le seul endroit, disait-il, où il était sûr que ses propos ne seraient pas enregistrés — qu'il lui arrivait de garder difficilement son sérieux lorsqu'il parlait en public de la défense des « valeurs morales » ou des « forces saines ».

« Je ne sais même plus exactement ce qu'il convient d'entendre par « ordre public », me confiait-il. Voyez-vous, Athanase (il avait conservé l'habitude de m'appeler par mon nom de code dans la Résistance), j'ai le sentiment profond du dérisoire. Quand j'assiste à un conseil, je me demande toujours s'il y a parmi nous quelqu'un de vraiment sérieux. Ils ne s'arrêtent de jouer la comédie que dans les bras de leurs petites amies, et encore, je n'en suis pas si sûr. »

Il était le doyen des ministres. On l'avait tiré de sa retraite quand les affaires avaient commencé à aller trop mal, que le terrorisme s'était généralisé et qu'il avait fallu recourir aux « vieilles méthodes ». Malgré ses soixante-dix ans sonnés, dans son visage marqué par tous les coups d'une vie, il avait conservé le regard vif d'un homme jeune.

« La médecine a fait tant de progrès qu'il va bien falloir employer notre abusive longévité, raillait-il. Avez-vous remarqué combien les vieux reviennent en force? »

Après une mode de « rajeunissement » lancée par le Président et l'échec d'une politique sans profondeur, on avait battu le rappel de la vieille classe. Depuis quelque temps, les alliances avaient été un peu bousculées. Disons que le chef de l'Etat avait dû se débarrasser d'amis peu sûrs pour se tourner vers des ennemis conciliants. Nous traversions une période troublée où les terroristes avaient eu de nouveau les honneurs de la première page et la vedette des journaux télévisés. Et, tant qu'à faire la chasse à ce genre de gibier, le Président en avait laissé le soin à une gauche modérée.

« De toute manière, avait conclu le ministre, las et débonnaire, il faut bien que quelqu'un fasse le sale boulot pour sauver votre bœuf mode et vos fromages. »

C'était un homme sans ambition que le pouvoir ne fascinait guère. Et je m'étais demandé souvent pourquoi il avait choisi la carrière politique.

« Je n'ai rien choisi du tout, Athanase, me dit-il un jour, répondant à ma question muette. Mais je me suis trouvé il y a bien longtemps maintenant, et comme beaucoup d'autres, et vous-même, embarqué dans le bourbier de Londres. »

Il pencha sa tête à la chevelure neigeuse qui me rappelait toujours celle d'un acteur américain :

« Vous savez comment était le Général : impossible et irrésistible. On ne pouvait pas lui dire non. Il nous a tous fabriqués plus ou moins. Et moi, je me suis laissé traîner de cabinet en ministère, alors que ma carrière de professeur de droit était toute tracée, une carrière tranquille. Vous savez, aujourd'hui, je serais à la retraite avec un titre de doyen, un traitement qui ne serait pas très inférieur à celui qu'on me verse actuellement et j'aurais probablement écrit un traité élémentaire sur les droits de succession, une question qui me passionnait depuis que j'avais vu mon père dépouillé des siens par un habile jeu d'escroquerie. Au lieu de quoi je patauge dans les " affaires de l'Etat " et les " affaires d'Etat " »

Une autre fois, il m'avait regardé avec ce sourire dont l'âge n'avait pas éteint la malice :

« Mais vous-même, Athanase, comment avez-vous atterri chez nous? Combien de ministres avez-vous connus?

— Huit, monsieur! »

La deuxième partie de la question m'avait évité de répondre à la première. Il connaissait mon goût du secret et n'avait pas insisté. Il était d'ailleurs probablement renseigné sur mes origines et mon passé. Mais il préférait feindre l'ignorance et me laisser croire qu'il n'avait jamais regardé mon dossier. C'était un homme d'une grande délicatesse. Le Général avait dit de lui un jour en particulier : « Je me demande s'il existe aujourd'hui un homme d'une si exceptionnelle qualité », ce qui n'avait fait plaisir à personne dans l'Entourage.

Quant à mon dossier, je l'avais eu en main. Il y était dit que j'étais né soixante ans plus tôt sur les rives du Bosphore où mon père était consul de France, que j'avais beaucoup voyagé, à Moscou, à Washington, à Beyrouth, que pendant la Seconde Guerre mondiale j'avais servi comme agent de liaison entre l'Etat-Major américain et les Services soviétiques, que j'avais été ensuite responsable du département français de l'A.M.G.O.T., que je tutoyais le chef du K.G.B., ce qui ne m'empêchait pas d'avoir été l'ami d'Allan Dulles à l'époque où la C.I.A. savait encore garder ses secrets...

Pour le reste, ma vie était sans mystère. Je m'étais marié à la trentaine et ma femme et moi n'avions connu qu'une ombre à notre bonheur tranquille, celui de n'avoir pu avoir d'enfant. Elle avait donc reporté son trop-plein d'affection sur moi et l'univers calfeutré qu'elle avait su installer autour de nous contrastait merveilleusement avec les tempêtes dans lesquelles je me déplaçais à mon bureau. Depuis plus d'un quart de siècle que je partageais sa vie, je l'avais vue à peine changer. Elle avait conservé la même minceur et ses mains fines et longues restées très jeunes me rappelaient celles que ma mère promenait sur sa harpe les soirs d'hiver à la veillée lorsque, répondant à la prière muette de mon père, elle ôtait la housse de son instrument pour en tirer des airs cristallins et mélodieux que j'emportais, ravi, dans mon sommeil.

Lorsque mon père, devenu ambassadeur, avait

été en poste à Berlin vers la fin des années 20, nous avions pris l'habitude de prolonger assez tard ces soirées dans le petit salon privé de l'hôtel d'ambassade où pendant l'hiver craquait un feu de bois.

C'est là qu'une nuit j'avais éprouvé la première sensation brutale d'une menace extérieure, lorsqu'une explosion avait ébranlé le quartier, bientôt suivie d'un vacarme de sirènes. Tout le monde s'était précipité aux fenêtres par lesquelles le froid s'engouffrait, agressif. Dehors, longtemps encore, avaient continué de monter les plaintes désespérées des voitures de pompiers et des ambulances.

Puis tout était redevenu calme. Quelqu'un ayant fait remarquer qu'on gelait, on avait refermé les fenêtres, ma mère avait remis la housse sur sa harpe et le majordome était venu étouffer les dernières braises qui vacillaient dans la cheminée. Je l'avais entendue murmurer à mon père une phrase inaudible où il était question de bombes et de morts.

Je m'endormis cette nuit-là, non dans l'angoisse, mais avec le sentiment d'une sécurité merveilleuse. Dehors tout était devenu cri et mort. Dedans tout était calme et vie.

Mais, le lendemain, on ne put m'empêcher de jeter un œil sur les journaux qui reproduisaient tous à la une des photos de décombres fumants d'où des hommes casqués retiraient des corps mutilés.

Le souvenir est bien lointain dans le brouillard de mon enfance, mais ce lendemain marque une cassure soudaine dans mon existence, l'accession à un deuxième stade de l'inquiétude, la réalisation violente de la fatalité et de la soudaineté de la mort qui venait illustrer cette phrase du Christ entendue à la messe dominicale mais jamais bien comprise jusque-là : « Je viendrai comme un voleur. »

Toute mon existence future fut peut-être conditionnée par ce bruit, ces mots, ces images... Plus tard, d'autres bombes tombèrent, du ciel cette fois, mais j'étais préparé à l'idée de la guerre et je m'y adaptai très vite.

Colmar était une autre nuit froide, une nuit de guerre aussi, car la guerre pour moi n'avait jamais connu de fin. Guerres chaudes, guerres froides? Quelle différence! Bauman était mort comme ces morts anonymes cinquante ans plus tôt à Berlin.

Quand je quittai Meistermann, la neige commençait à geler et craquait sous mes semelles. Je m'étais promis de faire un tour dans la vieille ville et de boire un verre de bière chez Comolli. Mais la crainte de me retrouver finalement sur une patinoire me fit renoncer à mon projet et je rentrai sagement à l'hôtel. Il était un peu plus de onze heures. Le portier de nuit me remit un paquet qu'on avait apporté du commissariat. Il renfermait les papiers de Bauman.

Je remontai dans ma chambre et débranchai le détecteur de présence avant les quinze secondes de répit précédant le déclenchement de l'alarme. Il m'était arrivé une fois de l'oublier et le signal sonore émis brutalement avait réveillé tout l'hôtel.

Allongé sur mon lit tout habillé, j'appelai successivement mon domicile et mon bureau de Paris. Ma femme m'apprit que le chien avait vomi sur la moquette du salon et, au bureau, le permanencier ensommeillé n'avait aucun message pour moi.

Je demandai le réveil pour huit heures, pris le paquet du commissariat et l'ouvris. Pendant un moment, j'examinai les photos : il y en avait trois. Toutes représentaient Madeleine Bauman. La plus ancienne était un portrait aux couleurs passées, un portrait souriant qui n'avait rien de comparable avec nos bonnes photos anthropométriques de face et de profil... Est-ce de la déformation professionnelle, mais j'ai toujours pensé que, hors de la lumière crue des projecteurs de l'Identité judiciaire une photo est neuf fois sur dix mensongère. Sur le portrait que je tenais dans ma main, Madeleine souriait, le regard gai, les cheveux blonds ondoyant au vent, telle qu'elle était peut-être une fois ou deux par semaine, telle qu'elle souhaitait être pour les autres... Nos documents sont certainement dépourvus de poésie, mais on y décèle des détails qui ne mentent pas, les rides au coin des yeux, l'expression de la bouche, le pli à la commissure... Je tentai en vain de faire la part des ombres... Le soleil devait être assez haut sur la gauche... Non, il n'y avait vraiment rien de bon à tirer de ce visage flou qui n'aurait même pas pu permettre d'identifier sa propriétaire.

La photo que je situai comme la seconde dans

le temps donnait un peu plus d'informations : Madeleine était cadrée en pied accoudée à la balustrade métallique d'un pont. La présence d'un saule pleureur à l'arrière-plan laissait penser que le pont surplombait une rivière. A droite, on devinait le toit lointain d'une construction imprécise. Au-dessus flottait un drapeau à demi déployé : il était impossible d'en déterminer la nationalité à cause du virage de la couleur. Mais le rouge-orange pouvait tout aussi bien être un vrai rouge ou un véritable orange. Je me promis de donner la photo à notre laboratoire technique.

Le troisième document avait été pris vraisemblablement dans les jardins du Luxembourg. Au bord de la pièce d'eau, Madeleine, vêtue d'un manteau de fourrure claire, était penchée sur un garçonnet de deux ou trois ans. Cette photo était la seule à porter une indication au dos de la main de Bauman : *Madeleine et Jérôme.*

Jérôme était leur enfant unique. Je regardai longtemps la frêle silhouette, le petit visage rond à demi enfoui sous une chevelure abondante qui lui donnait l'apparence comique d'un petit plumeau.

Je m'endormis sur cette image et mon sommeil fut peuplé de lutins et de sorcières, jouant à cache-cache dans d'étranges forêts enneigées.

Les écrevisses au riesling étaient plus virulentes que je ne le pensais et je passai une bonne partie de la nuit à me retourner sans trop savoir ce qui me préoccupait le plus de mon estomac, des lutins ou des sorcières.

Le téléphone du réveil me saisit dans la rémission matinale des nuits d'insomnie et je me levai de méchante humeur.

Dehors, un soleil pâle inondait la place gelée. Du menton de Rapp pendaient des stalactites de glace. Je bouclai ma valise, bien décidé à ne pas rester une nuit de plus à Colmar. Le téléphone sonna de nouveau comme j'avalais un café noir et désastreusement amer. Je décrochai pour entendre la voix non moins désastreuse de Cavana qui me demandait si j'avais passé une bonne nuit. Je me moquais bien de savoir comment il avait passé la sienne. Madeleine Bauman venait d'arriver. Il m'attendait avec elle au commissariat et m'envoyait une voiture à l'hôtel.

Ce serait une mauvaise journée. Je m'y étais préparé et dans ce sens je ne fus pas déçu. Tout de suite la gêne s'installa entre nous. Autant Cavana semblait à son aise avec la jeune femme, jouant volontiers les protecteurs, autant je me jugeai emprunté dans mon rôle officiel. Madeleine Bauman me glaça par l'apparente indifférence avec laquelle elle vivait la situation. Je ne m'étais pas trompé : elle ne ressemblait pas du tout à ses photographies. Je ne m'attendais pas, bien sûr à ce qu'elle sourie, mais la dureté de ses traits me surprit. D'emblée, je n'éprouvai pour elle aucune sympathie, démentant ainsi dans le moment même les paroles de circonstance que je prononçai où le mot « sympathie », précisément, revenait souvent.

Sympathie... Sympathie... Il n'y avait guère que

ce pauvre Bauman pour lequel j'en aie ressenti...

J'avais préparé mon paquet de mensonges. Je ne tenais à lui en dire ni trop ni pas assez. Il fallait qu'elle ne se pose pas trop de questions. J'allai sans doute un peu loin quand j'évoquai l'intérêt national de la mission confiée à Bauman, car Madeleine marqua soudain une immense stupéfaction. Ses traits figés craquèrent d'un coup et je vis s'y dessiner un sourire incrédule. De toute évidence, elle n'avait jamais imaginé que son pauvre type de mari ait été capable de rendre le moindre service à qui que ce soit.

Je fis rapidement le compte des années qu'ils avaient passées ensemble et je me demandai une fois de plus comment des gens peuvent cohabiter si longtemps pour en savoir moins l'un sur l'autre qu'un policier ou un psychiatre après quelques heures d'entretien. Après tout, que savait ma femme de moi? Que savais-je d'elle? Qui a écrit qu'aimer c'est savoir se taire ensemble? Certains passent toute une vie à se taire et sont heureux ou malheureux ainsi. Ils en prennent leur parti. D'autres ne parviennent pas au terme et, lorsque la séparation s'impose, ils constatent qu'ils ne se connaissent pas.

Du coup, je laissai tomber mes promesses de décoration et Cavana marqua un point. Avec lui, ce n'était que partie remise. Pour l'instant, une immense lassitude m'envahissait, qui s'harmonisait fort bien en moi avec la lumière pâle, que cette froide matinée d'hiver diluait dans la pièce.

« Madame, finis-je par dire, j'aurais voulu vous

épargner ce déplacement... Voulez-vous le voir une dernière fois? »

On aurait pu mesurer au millimètre le mouvement que sa tête fit pour dire non.

« Sans doute est-ce mieux ainsi... Vous étiez séparés, je crois... mais pas divorcés. Ses papiers vous reviennent. Nous vous les ferons expédier dans quelques jours. »

Je lui serrai la main sans un regard pour Cavana et sortis au moment où la lumière solaire, obstruée par un gros nuage, s'éteignait dans la pièce.

La neige, de nouveau, tombait sur Colmar, plongeant la ville dans un étrange silence blanc. Je me sentis très vieux.

Le destin, le hasard, la fatalité, appelez cela comme vous voudrez, avait voulu que Bauman vienne mourir à quelques kilomètres de la bourgade de Turckheim où il était né. Elle n'était située qu'à six kilomètres de Colmar. Mon avion ne décollait qu'au début de l'après-midi et j'avais deux bonnes heures à tuer. Je demandai donc à mon chauffeur de me conduire là-bas.

Pour moi, cette petite ville n'évoquait qu'une poterne gothique et une auberge accueillante où, un soir de février 45, alors que les derniers Allemands tombaient dans la tenaille de nos blindés, j'avais dégusté des cuisses de grenouilles en compagnie d'un officier de renseignement américain.

Comment, dans l'enfer qu'avait été la région, pensait-on à pêcher des grenouilles...

Nous fîmes le chemin en une dizaine de minutes

et je trouvai facilement la maison où Bauman avait passé son enfance.

C'était une bâtisse sans noblesse et sans style, une de ces constructions de brique mouchetée qui défigurent nos vieilles villes. Elle avait été construite par le grand-père maternel de Bauman et il était vraisemblable qu'il s'agissait d'un homme dépourvu de goût et d'imagination.

Il y avait un bar-tabac de l'autre côté de la rue. J'y entrai et commandai un verre de riesling. Un coin de ciel s'était déchiré et le soleil avait envahi la petite salle où deux vieux Alsaciens discutaient dans leur dialecte la validité d'un coup de dés sur la piste de 421. Le patron, avachi derrière le comptoir à tabac, affichait un visage couperosé à force de « coups de blanc » sirotés avec ses clients. Il avait dû connaître Bauman. Sans doute l'avait-il vu grandir dans ces années de l'après-guerre qui sentaient bon l'espérance.

Le patron devait avoir alors les joues un peu moins soufflées, le teint un peu plus pâle et Charles-Philippe Bauman était sans doute un petit garçon en culottes courtes qu'on envoyait au tabac acheter allumettes et cigarettes.

Le riesling était divinement frappé, chauffant et rafraîchissant le palais en même temps. Je m'abandonnai un instant à la douce torpeur que procure le vin bu trop tôt, quand l'alcool se rue dans le sang brutalement et vous coupe les jambes d'un coup.

Je laissai le vin agir, les yeux mi-clos, savourant cet éblouissement trompeur, sans perdre de vue la maison d'en face.

Fils unique, Bauman y avait passé son enfance dans l'ennui, cherchant une évasion temporaire dans la rêverie que lui procuraient les films qu'il voyait quelquefois le samedi à Colmar. Il y puisait sa provision d'optimisme hebdomadaire avant de retourner affronter pour une semaine l'insipidité du milieu familial.

Qui a parlé d'enfance heureuse, qui a raconté des histoires de veillées où des mères aux yeux tendres et aux gestes doux bercent leurs enfants, où des pères silencieux jettent sur leur progéniture un regard bienveillant et attentif, prodiguant de sages et rassurants conseils?

Bauman n'avait rien connu de cela. Ni tendresse, ni attention, ni sécurité.

Son père, employé municipal de la ville et secrétaire de mairie, était un homme silencieux qui s'était laissé installer sans réagir dans la morosité quotidienne de son foyer. Son emploi du temps lui servait de raison de vivre. Il quittait sa maison à huit heures, y retournait à midi un quart, déjeunait sans appétit, faisait une heure de sieste, repartait à trois heures, fermait la mairie à sept, dînait à huit, se couchait à dix après avoir ausculté pendant vingt minutes une radio crachotante qu'il n'en finissait plus de bricoler. Le dimanche, il assistait à la messe de huit heures, achetait des croissants pour le petit déjeuner et un gâteau à la chantilly pour le déjeuner. L'après-midi se partageait entre la sieste et une éventuelle promenade à Colmar.

Leurs vacances, les Bauman les passaient dans un petit village de Lorraine où habitaient leurs cousins. Pour Charles-Philippe, c'était un peu une fête. Le cousin Jules était un bon vivant qui égayait la famille de ses blagues énormes. Il était, disait-on, dans les affaires et menait grand train. Un jour que le repas de midi se terminait dans cette euphorie que procure l'excès de vin, deux hommes vêtus strictement et coiffés de feutres gris s'étaient présentés à la résidence du cousin. Charles-Philippe, qui n'avait alors que dix ans, remarqua que la conversation avait baissé d'un ton et que les regards convergeaient vers le fond du jardin, où le cousin Jules gesticulait et haussait la voix. Des bribes de phrases parvenaient à la tablée : « Impossible... Erreur épouvantable... Calomnie... »

Jules était revenu à la table, avait parlé à voix basse à sa femme qui avait éclaté en sanglots. Les deux messieurs s'étaient approchés et l'avaient accompagné à l'intérieur de la maison. Il en était ressorti un petit moment après, son chapeau sur la tête, une petite valise à la main. L'un des messieurs s'en était emparé et Charles-Philippe, malgré la discrétion du geste, avait saisi l'éclair d'acier des menottes.

Le cousin Jules, convaincu d'escroquerie, avait été condamné peu après. Sa famille avait quitté la région et nul n'en avait plus entendu parler.

Pour Charles-Philippe, ça avait été la fin d'une période timidement heureuse.

Restait le cinéma du samedi...

Soutenu par son seul emploi du temps, le père de Bauman ne devait pas survivre longtemps à la fêlure de la retraite. Croulant sous l'ennui et les radotages de sa femme, il mourut de la première grippe venue.

Charles-Philippe, qui terminait alors ses études à Strasbourg, revint pour les obsèques. Il trouva cocasse que le cercueil de son père soit drapé des trois couleurs françaises et que le président de la section locale des anciens combattants prononce l'éloge funèbre du défunt. Il n'avait pourtant jamais connu à son père que le livret militaire de la Wehrmacht, celui de tous les « malgré nous », et savait qu'il avait passé la guerre quelque part du côté de Baden-Baden comme ordonnance d'un général.

Certes, ce n'étaient pas nos cinq ou six rencontres des Gobelins qui m'en avaient appris autant sur Bauman.

En fait, il n'était pas ressorti grand-chose de ces conversations qui ne m'avaient guère servi qu'à approfondir certains aspects de la psychologie et de l'état mental de Bauman.

Pour le reste, tous les renseignements concernant sa vie présente et passée nous avaient déjà été fournis par la sténographie des bandes magnétiques désignées d'un nom de code : « opération Desperado ». La paternité en revenait à Cavana qui, comme la plupart de ses collègues sortis des écoles d'administration, devenait ridiculement puéril dès qu'on lui demandait de trouver un nom de camouflage pour une opération confidentielle.

Nos archives regorgent ainsi de dossiers qui ressemblent davantage à une nomenclature de films populaires qu'à un répertoire d'activités

clandestines. Je citerai le cas d'une opération
« Terreur rouge » qui se solda par l'intervention
ridicule de policiers en caleçon dans un prétendu
repaire de terroristes où l'on ne découvrit en
définitive qu'une quinzaine de jeunes gens nus se
livrant à une gymnastique sans rapport avec la
« prise d'otage » ou la manipulation d'explosifs.
Cavana avait à son actif quelques « affaires » de
ce genre que « Matamore », le prédécesseur du
ministre, avait maladroitement cautionnées. La
presse satirique s'en était emparée, ridiculisant
nos services, hâtant l'exil de Matamore, mais
nous laissant Cavana.

Le soleil jouait avec la poussière dans le bar-
tabac. Le patron continuait à somnoler et l'on
n'entendait que le choc des dés sur la piste de
421. Les deux vieux jouaient maintenant en silence.

De l'autre côté de la rue, la porte de la maison
Bauman s'ouvrit et une femme en sortit. Sa tenue
était négligée : une vieille robe de laine sur laquelle elle avait jeté une sorte de plaid rapiécé.
En guise de chaussures, elle portait une paire de
pantoufles. Elle traversa et entra dans le tabac.
Elle avait dû être beaucoup plus grande, mais
son corps s'était affaissé avec l'âge. Elle se dirigea
vers le comptoir sans un regard pour le reste de
la salle et ne leva même pas la tête pour demander une boîte d'allumettes.

« Une grande ou une petite? demanda le patron.

« — Une grande. »

Elle avait une voix aiguë, une voix de sourde. Elle devait avoir l'habitude de hurler au lieu de parler.

Je la regardai partir de son pas traînant. De profil, elle avait quelque chose de son fils; il n'y avait aucun doute pour moi : il s'agissait de la mère de Bauman.

Elle avait enterré toute sa famille.

Je fus tenté d'aller lui parler. Et puis je décidai de laisser ce soin à la gendarmerie du canton, qui ne manquerait pas de venir lui annoncer la mort de son fils.

J'alignai la monnaie de ma consommation et sortis.

Comme je m'installais dans ma voiture, j'aperçus deux gendarmes qui descendaient la rue. Ils n'avaient pas traîné. J'imaginai que Mme Bauman accueillerait la nouvelle avec indifférence. Charles-Philippe avait été une des corvées de sa vie. Dieu le lui avait donné, Dieu le lui avait repris. Je crois que c'est le sentiment qu'elle avait laissé à son fils : l'indifférence!

Sur le chemin du retour, nous passâmes devant le restaurant où j'avais mangé des cuisses de grenouilles avec l'officier de renseignement américain en 1945. C'était un homme énorme par sa taille et son poids. Il s'appelait Kelly. Bien des années après, alors qu'il travaillait pour la C.I.A., il avait sauté sur une bombe dans un dancing de Saigon. Je reste étonné que de cet énorme tas de viande on n'ait retrouvé qu'un pied.

J'en aurais souri si le mot « bombe » n'avait

éveillé le souvenir de la soirée de Berlin et de l'explosion meurtrière.

Le soleil était maintenant au plus haut dans le ciel et la neige formait une croûte gelée et glissante sur la route. Le chauffeur prenait d'extraordinaires précautions pour ne pas déraper. C'était un garçon petit et maigre dont le physique nerveux contrastait avec la placidité apparente. Depuis quarante-huit heures qu'il me conduisait, il n'avait jamais pris l'initiative de la conversation et je m'aperçus que je ne lui avais moi-même jamais adressé la parole que pour lui donner des consignes. J'estimai que le moment était venu de lui demander au moins son nom :

« Felsenstein, monsieur... Edouard Felsenstein.
— Vous êtes de Colmar?
— De Ribeauvillé, monsieur.
— Beau pays, n'est-ce pas?
— Surtout en été. Oui, monsieur.
— Vous êtes marié, Felsenstein?
— Oui, monsieur.
— Des enfants?
— Oui, monsieur, deux garçons et une fille.
— C'est déjà bien à votre âge.
— J'ai cinquante ans, monsieur.
— On ne vous les donnerait pas.
— Merci, monsieur.
— Dites-moi, Felsen...stein. »

J'avais buté sur la dernière syllabe. Il s'en aperçut et sourit :

« Appelez-moi Edouard, s'il vous plaît, monsieur, c'est plus facile. Tout le monde m'appelle Edouard.

— Vous êtes juif, Edouard?

— Oui, monsieur! »

Je ne sais comment il interpréta ma question. Mais je pensais surtout à Bauman à ce moment-là.

« Comment était-ce pendant la guerre pour vous? dis-je.

— Oh! j'étais jeune, monsieur. J'avais l'âge limite pour échapper à la conscription. De toute manière, nos aînés ont eu plus de chance que leurs coreligionnaires des autres provinces. Ils ont servi sous l'uniforme allemand. Ils n'avaient pas le choix.

— Dans un sens, oui! »

Felsenstein se tut. Dans le rétroviseur, je fixai son visage impénétrable ou peut-être tout simplement indifférent. Bauman aussi portait un nom juif et, bien qu'il ait été élevé dans la religion catholique, il se sentait solidaire des autres.

Un jour, après une discussion politique dans un restaurant, un voyou était sorti derrière lui et l'avait giflé en le traitant de « sale youpin ». Bauman était resté stupéfait, saisi soudain par l'horreur du racisme.

Mon père était encore en poste à Berlin lorsque j'avais vu pour la première fois l'étoile jaune peinte sur ce qui restait de la vitrine brisée d'une échoppe. Ma tante, qui m'accompagnait, avait fait un écart comme s'il se fût agi d'un lieu contaminé par la maladie. Je l'avais vainement questionnée. Elle s'était bornée à murmurer : « Tout cela finira mal », sans que je pusse connaître la nature

44

exacte de « cela » et de « mal ». En réalité, elle avait déjà été atteinte comme beaucoup par le virus de la peur et elle se voilait la face. Les juifs les premiers avaient été gagnés par la panique, puis ceux qui craignaient qu'on les prenne pour des juifs ou des sympathisants et même ceux qui n'avaient de sympathie pour personne que pour eux-mêmes. Plus tard seulement j'appris que cette maladie avait un nom : national-socialisme. Après la guerre, on employa de terrifiantes périphrases telles que « peste brune ». Mais à cette époque-là, au lieu de se signer pour conjurer le fléau, les Allemands levèrent le bras et crièrent : « Heil Hitler », comme ils auraient dit : « Seigneur Miséricorde. »

Je me souviens encore du spectacle lamentable d'un épicier juif que des hommes à brassard avaient pris à partie devant son étalage et qui tentait d'échapper au lynchage en criant : « Je respecte le Führer! »

Une fatalité noire s'était abattue sur les hommes, qui, se sentant abandonnés, se sauvaient comme ils pouvaient sans dignité.

La voiture avait atteint les faubourgs de Colmar. De nouveau les nuages déferlaient sur l'est. Je passai à l'hôtel, réglai ma note et pris ma valise. Felsenstein s'empressa de me l'enlever malgré mes protestations. Elle serait mieux, dit-il, dans le coffre. Je pestai intérieurement contre cette manie qu'ont les chauffeurs de vouloir séparer les gens de leurs bagages.

Une demi-heure plus tard nous étions à Colmar-Houssen. Je remerciai Felsenstein, qui tint absolument à m'accompagner jusqu'à la porte d'embarquement.

Une fois franchies les turbulences de moyenne altitude, le petit Jet d'Air Alsace retrouva le soleil et se stabilisa dans une virtuelle immobilité. « Vitesse : 850 kilomètres-heure, annonça une voix impersonnelle. Altitude : 18 000 pieds. Température extérieure : moins 45 degrés. » Brrr!

L'hôtesse nous servit une collation légère et du café chaud. Chaque fois que je montais dans un avion, je ressentais la même impression de parenthèse dans la vie, une sorte de régression soudaine mais douce, quelque chose comme un retour au ventre maternel. L'avion n'était-il pas un monde clos où des femmes — les hôtesses — nous maternaient d'une certaine manière?

Il était un peu plus de trois heures lorsque je sortis de ma somnolence. L'appareil venait de se poser dans la grisaille retrouvée d'une journée d'hiver.

De nouveau, voiture noire, chauffeur cravaté de noir. Celui-là, je le connais, au moins. Il m'appelle « patron ». « Bon voyage, patron? »

On échange des banalités. Il me raconte les derniers cancans du ministère. Il s'appelle Dupont. Tout le monde ne peut pas s'appeler Felsen... truc. Dupont est aussi long et exubérant que Felsen... machin était court et réservé.

Dupont a une manie : les raccourcis qui ne

raccourcissent rien. Il en connaît cent dans Paris qui font sa joie et le malheur de tous les fonctionnaires qu'il transporte.

« Patron, c'est bouché du côté de Maillot. Mais je connais un raccourci. »

Ça y est, je suis averti. Nous n'arriverons pas au ministère avant une heure. J'aurais dû téléphoner... Au fond, que m'aurait dit ma femme? Qu'il faudrait remplacer la moquette à cause du chien?

Je m'affale contre l'encoignure moelleuse de la berline.

J'arrivai à mon bureau vers cinq heures, signai le courrier. Je me sentis soudain épuisé. Je sonnai et demandai au garçon de m'apporter une tasse de thé. Le breuvage avait été préparé avec un sachet en papier buvard jeté à même la tasse. Le garçon avait coiffé le tout d'une soucoupe « pour que ça infuse mieux ». Je bus le thé comme un médicament, d'une traite et sans respirer. Puis je demandai les journaux du soir. Tous titraient sur l'enlèvement de l'ambassadeur d'Allemagne en Suède.

Page 5, en dix lignes, dans les faits divers de province, était mentionné l'assassinat d'un certain Charles-Philippe Bauman, abattu en pleine rue à Colmar. La police croyait à un règlement de comptes...

Il n'existait pas dix personnes qui auraient pu prouver le contraire. Je levai la tête vers mes dossiers : celui de l'opération « Desperado » était le plus volumineux.

Si vous lisez les journaux, si vous regardez quelquefois la télévision ou si vous écoutez même d'une oreille distraite les bulletins d'information à la radio entre deux chansons et un quizz, vous vous souvenez de la vague d'attentats, d'enlèvements et de détournements qui submergea l'Europe dans le dernier quart de ce siècle tourmenté. Il ne se passait pas de mois et bientôt de semaine qu'un acte de piraterie internationale ne soit commis sur notre vieux continent, mettant souvent en péril des centaines de vies humaines. Les éditorialistes, à grand renfort de démagogie, oubliant le silence coupable qu'ils avaient observé lorsque des armées « civilisées » avaient tué selon des normes admises, avec avions, chars et canons, des milliers de gens petits et grands, femmes et enfants, sans distinction, au hasard des guerres de tactique, hurlaient leur indignation. Ils jugeaient intolérable ce qui se passait à leur porte, mais réglaient en cinq lignes quelques milliers de morts sacrifiés aux privilèges d'un roitelet du tiers monde.

« Savez-vous, m'avait dit un jour le ministre, nous n'avons plus le monopole de l'intelligence. Pendant longtemps le personnage du génie criminel, du juriste ou du scientifique mettant son savoir au service d'une conjuration anarchiste n'appartint qu'à la littérature.

— Oui, dis-je, l'Eglise aussi chanta longtemps avec les patrons...

— Notre morale serait-elle relative? Et quel ordre défendons-nous?

— Justement, nous nous battons pour une notion qui n'existe pas dans l'absolu. L'ordre est subjectif.

— Mais nous n'avons rien de mieux.

— Ni rien de pire... Ou bien faisons comme de Gaulle, Bernanos et Malraux... Raccrochons-nous aux vieilles valeurs... Mais, comme vous le voyez, l'Europe est en train de tuer la France... Nous avons encore nos cathédrales parce que la pierre est dure, mais les fromages pour lesquels vous pensez que je me bats ont déjà été aseptisés.

— Au fond, vous et moi, nous faisons semblant... Le Président aussi, je crois! »

Il me fixait de son œil bleu sarcastique, guettant ma réaction. Il aimait me désorienter. J'avais souri. Je lui laissais toujours le dernier mot, non parce qu'il était le ministre, mais parce que son âge et sa lucidité honnête m'en imposaient.

En fait, il avait la part belle et la suprême habileté, lorsqu'il flairait une sale affaire, de me « donner carte blanche » sans vouloir entendre les détails sordides. Lorsqu'on livre une guerre secrète, les gouvernements ont toujours les mains blanches, mais on en serre de plus en plus poisseuses au fur et à mesure qu'on descend dans la hiérarchie. Tout en haut, nous avions donc un Président et des ministres qui ne « savaient rien » et tout en bas un « porte-flingue » et le cadavre de Bauman avec une balle dans la tête. Mais cette chose horrible que personne ne voulait connaître faisait tout de même un bien gros dossier sur mon bureau.

Tout avait commencé à la fin du printemps avec un appel téléphonique de mon vieil ami Chamerode du Quai d'Orsay. Nous avions parlé de ma femme, de la sienne, de leurs douleurs respectives, de ses enfants dont l'aîné était major de l'Ecole nationale d'administration. Je fis semblant d'en être heureux, mais déjà ce jeune homme particulièrement doué dont j'avais toujours admiré la vivacité d'esprit me devenait antipathique. Chamerode me connaissait trop bien pour croire à la sincérité de mes félicitations. Il n'ignorait pas mes haines.

Chamerode, qui approchait de l'âge de la retraite, s'occupait au Quai des affaires les plus délicates. Il adorait cela. D'autres passent leur vie à essayer d'éviter le pire. Chamerode, lui, le recherchait. Il était l'homme des situations impossibles et des requêtes désespérées. Il me consultait fréquemment et je lui rendais tous les services que je pouvais, sachant qu'il en ferait autant pour moi. Mais je ne suis pas près d'oublier l'aventure dans laquelle il allait m'embarquer ce jour-là.

Au téléphone, il ne donna guère de précision, mais il m'invita à déjeuner à la Maison de l'Amérique latine, une sorte de cercle parisien où les fonctionnaires ont coutume de traiter leurs hôtes. Salons feutrés et maîtres d'hôtel compassés. Les clients, généralement, ne paient pas mais signent leurs notes qui sont adressées ensuite aux ministères et aux services invitants. C'est clair, limpide et ce genre de comptabilité satisfait pleinement la Cour des comptes, dont les conseillers sont d'ailleurs d'excellents clients de la maison.

Chamerode m'avait prévenu qu'il voulait me présenter quelqu'un sans m'en dire davantage. J'étais accoutumé à ses mystères. J'avais deux heures de libres. Nous prîmes donc rendez-vous pour le début de l'après-midi. Je me fis conduire par une voiture du ministère. Il faisait clair et presque chaud. Sur les Champs-Elysées, les arbres étaient déjà en fleur et les employés des bureaux profitaient de l'heure du déjeuner pour se presser au Grand Palais où des sarcophages de pharaons étaient de retour.

J'avais baissé la vitre de la voiture pour profiter des senteurs du printemps, et je me souviens qu'en traversant le pont Alexandre-III pour gagner la rive gauche une odeur de marée me surprit. La Seine, à perte de vue, charriait des poissons morts, des milliers de poissons, le ventre en l'air. Je fus moins étonné par la vue des poissons morts que par la révélation soudaine qu'il pût y avoir encore des poissons dans ces eaux nauséabondes.

« La radio l'a annoncé au bulletin de midi, monsieur, dit le chauffeur... Quelques tonnes de fuel ont été déversées accidentellement par une péniche en amont. »

Une chose était certaine, je ne mangerais pas de poisson au déjeuner.

Quand j'arrivai à la Maison de l'Amérique latine, Chamerode était déjà là en compagnie d'un homme de haute taille au teint coloré. Chamerode était plutôt petit et volumineux :

« Je tenais absolument à te présenter M. Hannes Schmidt, chargé de mission auprès de l'ambassade de la République fédérale. »

51

M. Schmidt sourit :

« Ne me demandez pas de quelles missions... Je suis un peu comme M. Chamerode, que je connais depuis longtemps. On a l'habitude de se décharger sur moi des affaires dont les autres ne veulent pas.

— Si j'ai bien compris, dis-je comme nous passions à table, vous avez décidé cette fois de vous décharger tous les deux sur une troisième personne. »

Chamerode et Schmidt protestèrent en même temps. Puis ils se regardèrent et Chamerode hocha la tête en me jetant un regard contrit :

« En fait, c'est un peu cela... »

D'un commun accord, nous décidâmes de n'aborder la question qu'après les entrées. Pendant vingt minutes, nous consacrâmes toute notre attention au contenu de nos assiettes. Chamerode et moi-même mangions de bon appétit, mais notre ami allemand toucha à peine à son filet en croûte, la « recommandation » du jour. J'imaginais qu'il était préoccupé par son problème et se demandait comment me le présenter de la manière la plus favorable. Je ne m'attendais pas à ce que ce soit quelque chose de facile.

Quand j'eus terminé mon aloyau et bu une gorgée de bordeaux, je fis comprendre à Chamerode et à Schmidt que j'étais à leur disposition.

Schmidt toussota et commença à parler, les yeux fixés sur son rôti refroidi :

« Birgitt Haas? Cela vous dit quelque chose? Oui, bien sûr. J'imagine qu'elle a un dossier chez vous... »

52

Il parlait un français parfait à peine martelé.

« Avec elle, nous ne voulons pas recommencer l'erreur que nous avons commise pour Baader et Meinhof. »

Il hésita. Son beau projet de discours s'était envolé. Le fonctionnaire impassible s'effritait pour céder la place à un homme en détresse. Birgitt Haas était un nom à flanquer la panique au Conseil de sécurité des Nations Unies. Cette jeune Allemande d'origine danoise avait trempé en effet dans les plus importantes affaires de terrorisme des cinq dernières années. Elle en avait dirigé certaines, contrôlé d'autres, épaulé la plupart. On lui devait le détournement d'un jumbo-jet de la Lufthansa, la destruction d'un DC-10 dans le désert du Sinaï au nez et à la barbe des Israéliens et des Egyptiens, la fusillade de l'aéroport de Shannon qui avait fait seize morts, la destruction d'un 727 en vol. On lui attribuait aussi l'enlèvement de l'ambassadeur des Etats-Unis à Vienne, celui de plusieurs chefs d'entreprise italiens. Quant à la presse, toujours aguichée par le phénoménal et l'extravagance, elle l'avait vue partout, un jour dans un bal à Buenos Aires, une autre fois dans une réception à la Maison Blanche. Lorsque trois de nos agents maladroits s'étaient fait descendre par un espion étranger qu'ils tentaient de « retourner », la mythique Birgitt Haas avait été vue la veille dans les environs immédiats de l'immeuble où avait eu lieu le carnage, du moins les éditorialistes les plus sérieux l'avaient-ils juré... Je comprenais que Hannes Schmidt et son gouvernement soient dans l'embarras. Le serpent de mer » Birgitt Haas aurait pu se ranger et décider d'élever des moutards que la rumeur publique aurait continué à mettre à son compte tous les détournements d'avion et toutes les affaires de terrorisme inexpliquées.

Le chargé de mission allemand entreprit de nous brosser brièvement le tableau des activités de Mlle Haas.

Son père, qui était directeur d'une grosse entreprise d'électronique après avoir été un « vaillant soldat de la Wehrmacht » de 1942 à 1945, avait eu les moyens de lui payer des études et Birgitt avait pris un diplôme de sociologie dans une université fédérale. Comme beaucoup de jeunes Allemands qui avaient découvert tardivement les anciennes attaches de leurs parents avec le nazisme et leur tardive reconversion dans la social-démocratie, elle avait ensuite basculé dans l'anarchie. Les années 70 avaient marqué l'engagement de Birgitt dans la grande fraternité protéiforme du terrorisme international où se retrouvaient des irréductibles du Proche-Orient, des kamikazes japonais, des maquisards argentins et des terroristes noirs américains auxquels venaient s'ajouter quelques sympathisants français toujours à l'affût de nobles causes à défendre.

Schmidt souligna ce détail en me jetant un œil narquois, comme pour me dire : « Ça vous concerne aussi! » Le moment viendrait sans doute où il me rappellerait de quelle façon vingt ans plus tôt un redoutable chef de l'O.A.S. nous avait été livré directement de Munich au Quai des

54

Orfèvres, ficelé comme un saucisson dans une fourgonnette de blanchisserie.

« Le problème pour nous n'est pas l'arrestation de Birgitt Haas. Nous savons à peu près constamment où elle se trouve, pas toujours à temps, mais nous la suivons. Je ne vous surprendrai pas si je vous dis que des centaines de policiers et d'agents spéciaux officiels ou officieux travaillent sur cette affaire. Nous aurions pu mettre la main sur elle dix fois le mois dernier. Et pourtant l'ordre de l'arrestation n'a jamais été donné.

— Comme pour Abou Daoud », dis-je.

C'était une bien vieille affaire, mais il était temps que je prépare moi aussi ma monnaie d'échange. Schmidt ne releva pas ma remarque. Ses yeux restèrent obstinément rivés sur le morceau de viande froide qui commençait à noircir.

« Vous voulez savoir pourquoi? dit-il en haussant un peu le ton. Vous voulez savoir pourquoi Birgitt Haas reste en liberté et nous nargue?...

— Inutile de vous énerver, coupai-je. Nous savons tous que vous êtes dans la merde, mon vieux. Quand vous avez arrêté Schoenbaker, ce voyou, qui n'arrivait pas à la cheville de Haas, trois jours plus tard on vous enlevait votre ambassadeur à Mexico. C'était Schoenbaker en liberté ou l'ambassadeur liquidé. Vous avez dit non et on vous a expédié le cercueil de l'ambassadeur avec l'ambassadeur dedans et trois balles dans la tête... Une aurait suffi. Ensuite il y a eu Schleyer et cette épidémie de pendaisons... Depuis vous avez décidé de céder. Et puis Munich vous est resté en travers de la gorge. »

Chamerode intervint :

« Nous n'aurions peut-être pas fait mieux. »

J'en convins. Et la conversation tomba au point mort. Schmidt s'était tu, échaudé par mon attaque brutale.

« Allons, dis-je comme on nous servait le café, nous n'allons pas laver notre linge sale ici. Acceptez mes excuses. »

Schmidt sourit et parut soulagé.

« Si nous arrêtons Hass, dit-il, nous aurons des représailles, des prises d'otage, des attentats, et cela jusqu'à ce que nous la relâchions. Autant dire que nous perdons moins la face en la laissant libre qu'en l'arrêtant. Alors il y a trois jours votre homologue à Bonn, M. Steinhoff, m'a demandé de prendre contact avec vous...

— Une seconde, dis-je. Mais je connais très bien Steinhoff. Pourquoi ne m'a-t-il pas joint personnellement?

— Il ne souhaite pas que le contact soit connu. Parce que, vous comprenez, nous déjeunons ici avec un ami commun, M. Chamerode, par hasard. Il n'y a rien d'officiel dans notre rencontre. M. Chamerode qui nous a gentiment invités m'a même assuré que mon nom ne figurerait pas dans ses comptes rendus d'activité. Ainsi nous avons une conversation privée. M. Chamerode a choisi cette table et s'est assuré qu'il n'y avait pas de micro-espion (il sourit). Excusez-moi d'être si franc. Enfin, ces choses se pratiquent chez nous aussi. »

Je souris à mon tour. Chamerode connaissait mieux que n'importe quel fonctionnaire la géographie des « écoutes » dans les lieux publics parisiens, et ses « rencontres improvisées » étaient toujours garanties du « sceau du secret ».

Schmidt poursuivit :

« M. Steinhoff m'a dit : « Voyez Athanase. » Il paraît qu'on vous appelait ainsi pendant la guerre. Il m'a dit : « Lui seul peut nous tirer de là. »

— Et il vous a dit aussi comment il voulait que j'opère?... »

Schmidt me regarda droit dans les yeux, mais j'avais l'impression qu'il ne me voyait pas tant il était ému :

« Il veut que vous la tuiez! »

Chamerode, qui était en train de vider sa tasse, manqua s'étrangler. Pourtant lui et moi en avions vu et entendu d'autres.

« C'est sans doute ce qu'il appelle un « petit service »... Je parie qu'il vous a parlé de la livraison du type de l'O.A.S. dans la camionnette de blanchisserie.

— Oui, mais seulement comme d'une anecdote. Il ne cherche pas à faire pression sur vous.

— C'est une chance, dis-je, parce que cette histoire va bientôt fêter son vingtième anniversaire... Alors, comme ça, Steinhoff veut que je fasse tuer Haas. Pourquoi diable ne s'en charge-t-il pas lui-même?

— Il préfère qu'on ne puisse établir aucun lien entre cette exécution, c'est le mot qu'il a employé, et des citoyens allemands. L'idéal, pour lui, serait que cela se passe ailleurs que sur le territoire fédéral et que ça n'ait pas l'air politique.

— Steinhoff est fou, dis-je. Il croit vraiment que la France va se mouiller dans cette histoire? Il ne pense tout de même pas que je vais lancer une opération pareille sans en référer au ministre. Et vous savez ce que me dira le ministre? La même chose : « Vous êtes fou! »

Je m'arrêtai. Tout à coup je sentis que Schmidt n'avait pas tout dit. Steinhoff n'était pas fou et encore moins idiot. Il y avait probablement une carte forcée dans son jeu.

Schmidt ne tarda pas à l'abattre :

« M. Steinhoff m'avait prévenu de votre réaction. Dans ce cas, m'a-t-il dit, vous lui ferez porter l'enveloppe scellée que je vais vous remettre et je crois qu'il changera d'avis.

— Et où se trouve cette enveloppe?

— Elle vous attend à votre bureau. Un porteur spécial de notre ambassade l'a déposée pendant que nous déjeunions. »

C'était le mot de la fin.

Je me souviens que je me levai dans l'instant. Je saluai sèchement Chamerode et Schmidt et quittai la table sans même leur tendre la main.

Dehors, le soleil me parut moins printanier. Je sautai dans ma voiture et ne me détendis qu'en retraversant la Seine; le banc de poissons morts s'était évaporé et l'odeur de marée avec. Je m'étonnai qu'il y eût encore des fleurs dans les marronniers.

Comment ce salopard de Steinhoff comptait-il me posséder? Je me revois encore faisant sauter rageusement les scellés de la grande enveloppe posée sur mon bureau. Je m'étonnais qu'à mon âge l'angoisse professionnelle puisse encore m'importuner. Je croyais être revenu de tout.

Tout en sonnant le garçon pour demander du café, je sortis deux chemises de carton gris et une feuille dactylographiée inventoriant le contenu de l'enveloppe.

Les deux chemises renfermaient les mêmes dossiers, l'un en langue allemande, l'autre en français. Je feuilletai rapidement ce dernier. Il était composé de rapports de police illustrés de photos anthropométriques et complété par des plans et des tableaux synoptiques. Chaque feuillet était marqué du sceau « Secret confidentiel » dans les deux langues. Cette recommandation revêt probablement une grande importance en République fédérale, mais chez nous elle estampille à peu près toutes les circulaires de service, y compris celles qui fixent la date de mise en route du chauffage en automne et les dates de vacances des huissiers, si bien que plus personne n'y prête attention.

Quand j'eus pris connaissance de la totalité du rapport, ce qui me demanda près d'une heure, mon front se mouilla d'une sueur soudaine à l'idée qu'un fonctionnaire aurait pu le lire avant moi. Je décrochai le combiné de ma ligne personnelle et appelai le ministre. A partir de cette minute, tout devait devenir plus secret que le plus grand des secrets. En formant le numéro du ministre, j'ouvrais la porte d'un terrifiant labyrinthe au bout duquel nous avions rendez-vous avec la mort.

La secrétaire du ministre, que nous appelions familièrement Poupette parce qu'elle avait eu les joues rondes et un gros derrière, avait suivi la presque totalité de la carrière de son patron. La soixantaine venue, elle avait perdu sa bonne mine, mais son surnom qui ne rimait plus qu'avec des souvenirs lui était resté. Poupette, qui nous avait tous connus à l'époque de la France libre, ne pouvait s'empêcher de nous affubler de sobriquets qui ne cadraient pas plus que son surnom avec notre âge et notre dignité. Il était entendu que pour elle je resterais toujours le jeune homme un peu timide avec lequel il lui arrivait de dîner dans un petit restaurant de Gloucester Road où l'on n'était pas trop regardant avec les tickets pendant les années du blitz. J'étais son « Loulou » et ne m'en consolais qu'en songeant à la tête du Général qu'elle appelait « Grand Tonton » et à celle du ministre rebaptisé « la Girafe » à cause de son grand cou maigre. Poupette avait été pour la plupart d'entre nous une sœur, une amie, voire une confidente, pour un ou deux peut-être une maîtresse...

« Alors, mon Loulou, cette retraite, elle approche? »

Elle imaginait toujours que je l'appelais pour l'inviter à mon « pot d'adieu ».

« On n'en est pas loin, Poupette, dis-je. Pour aujourd'hui, ce sera une « priorité immédiate ».

— Oh! mon Dieu! »

Dans la hiérarchie des urgences, « priorité immédiate » était au sommet de l'échelle. Nous ne l'avions guère utilisée que neuf ou dix fois en vingt ans et souvent pour des événements « historiques » : l'assassinat de Kennedy, la mort du Général, celle de Pompidou...

« Non, Poupette, personne n'est mort, mais tout de même je compte sur votre discrétion...

— Oui, oui, bien sûr, bredouilla-t-elle. Le ministre... (quand elle était émue, elle oubliait de l'appeler la « Girafe ») est en conférence avec les préfets de région. Probablement un plan d'organisation pour la prochaine campagne électorale... Vous savez? Ils épluchent les sondages des Renseignements généraux... Pour lui, c'est une vraie corvée... Vous vous souvenez? Ce que le Général appelait la « besogne subalterne »...

— Ecoutez, Poupette, c'est réellement urgent.

— Et très secret, j'imagine?

— Pas question de mettre les préfets dans la confidence, si c'est ce que vous voulez dire...

— Bon, je lui demande de passer dans le bureau voisin, celui du secrétaire général...

— Vous êtes sûre qu'il n'est pas sur écoutes? »

Je l'entendis rire.

« Non, il y avait un micro dans son lampadaire de bureau. Il l'a découvert et bousillé hier. Ça a fait un de ces raffuts! Le ministre a dû jurer que c'était un coup de Matamore. Mais je crois qu'il a menti. A vrai dire, il est inquiet, il ne sait rien lui-même.

— Bon, je verrai du côté de la Sûreté du territoire, si ça peut vous faire plaisir...

— Allons, fit-elle, nous n'avons pas de traître dans la maison. Je vous passe la Girafe. »

Je patientai une bonne minute, puis, après toute une série de déclics qui me faisaient craindre une interruption de la communication, j'entendis la voix enrouée du ministre. Il y avait des années

61

que sa conversation était ponctuée de « hum, hum ». Longtemps il avait dû traîner une trachéite mal soignée, puis sa toux était devenue un tic.

« C'est si urgent que cela, Athanase?

— Il faut que je vous parle le plus vite possible.

— Disons demain à...

— Avant demain, coupai-je.

— Diable, voyons, hum, hum... Eh bien, dans deux heures, à mon bureau.

— Je préférerais autant ailleurs.

— Alors disons chez moi. Mais tout cela ne me dit rien qui vaille.

— Vous avez tout à fait raison, monsieur le Ministre », dis-je, avant qu'il ne raccroche.

Le ministre habitait un appartement en rez-de-chaussée rue François-Ier; trois pièces sombres : un vaste séjour meublé à l'anglaise avec des fauteuils et des canapés de cuir sombre, un bureau-bibliothèque aux boiseries de chêne et une chambre ensevelie sous les livres et les brochures. Une vieille Portugaise s'occupait de la maison et dressait la table dans le séjour lorsque le ministre recevait en privé, jamais plus de deux ou trois amis sûrs.

Il vint lui-même m'ouvrir la porte et me proposa un whisky que j'acceptai. C'était un vieux malt qu'il eût été criminel de gâcher par de l'eau. Je décidai de le boire pur avec un glaçon. Ça ne me ferait aucun bien et je m'en voulus presque aussitôt d'avoir cédé à la tentation. Le whisky ne me réussissait jamais. Rien que d'y penser me donnait déjà mal au crâne.

Le ministre m'installa dans un fauteuil et prit place dans l'angle d'un canapé, légèrement de profil, les jambes croisées. Il était comme de coutume tiré à quatre épingles et son costume avait sûrement été coupé par un tailleur de Savile Row.

« Alors, Athanase, ça va si mal que ça? »

Il y avait de la lassitude dans sa voix et les poches sous ses yeux bleu vif accusaient la fatigue des derniers mois. Plusieurs fois j'avais failli lui conseiller de voir un cardiologue, mais je savais qu'il m'aurait envoyé au diable. Je sortis de mon porte-documents la grosse enveloppe expédiée par Steinhoff et fis glisser le document français sur la petite table de marbre qui nous séparait. Le ministre tira une paire de grosses lunettes d'écaille de l'intérieur de sa veste et les posa sur le bout de son nez. Il fit un geste pour prendre le dossier puis laissa retomber sa main :

« Ecoutez, Athanase, je suis épuisé. Je lirai tout cela après. Expliquez-moi d'abord.

— Il s'agit, dis-je, d'un rapport de Steinhoff, d'un rapport qui n'a pas suivi la filière officielle.

— Steinhoff, grogna le ministre. Je n'aime pas ce type-là. S'il avait dix ans de plus, il aurait été un très bon nazi. »

J'avais bien fait de commencer par le dossier. Pour le reste, nous verrions bien après...

« Ce rapport, continuai-je, nous donne avec une précision extraordinaire le plan d'un groupe terroriste français pour enlever et garder en otage notre ministre des Affaires étrangères... Rapt prévu pour vendredi prochain — ce qui nous laisse quatre jours... En échange de notre ministre, nous devrions remettre en liberté les sept inculpés dans l'affaire de détournement du Boeing de Nice, plus une somme de cinquante millions de francs et un jet prêt à décoller à l'aéroport d'Orly. Steinhoff — j'ignore où il a pu obtenir ces renseignements — nous donne les noms des conjurés, leurs photographies et leur « logement » à Paris, plus une liste de sympathisants susceptibles de les aider, un réseau complet, quoi...

— Eh bien, qu'attendez-vous pour mettre tout ce monde à l'ombre et remercier discrètement Steinhoff?

— J'y viens. Voyez-vous, avant de me remettre ce petit cadeau, Steinhoff m'a fait contacter par un de ses émissaires officieux à Paris. Il m'a demandé un petit service. Il a été d'une habileté suprême en me demandant le service avant de me proposer la contrepartie.

— Et ce service?

— Il veut que nous liquidions Birgitt Haas. »

Le ministre se tassa dans son fauteuil. Ses mâchoires étaient contractées. Je le sentais près d'exploser.

« C'est un procédé de mafioso, dit-il.

— Vous avez trouvé le terme exact. On appelle cela « une proposition qu'on ne peut refuser ». Je reste persuadé que Steinhoff ne nous a donné là qu'une partie de ce qu'il a découvert. Le reste viendra lorsqu'il aura pu constater que nous coopérons.

— Et vous allez coopérer?

— Avec votre permission.

— Je ne vous ai pas entendu. D'ailleurs, je n'ai rien entendu de cette conversation, Athanase. Voilà de la sale besogne en perspective. Vous n'aurez pas les mains propres. Quant à moi, je n'ai pas les moyens de me les salir davantage. Je ne sais rien, je ne veux rien savoir. Mais, si vous vous cassez la gueule, je serai contraint de vous désavouer et de prétendre que vous avez agi de votre propre chef. A moins que vous n'ayez pris la précaution d'enregistrer sur magnétophone notre conversation. Mais ça n'est pas votre genre.

— Le Président sera-t-il informé?

— Diable, non. Le pauvre homme n'en dormirait plus. Il a déjà bien à faire comme cela. Le Général a eu la mauvaise idée de dire un jour : « Quand tout va mal, regardez vers les sommets, « il n'y a pas d'encombrement. » Ses successeurs ont tous été tentés par l'ascension, mais ils se sont arrêtés généralement à la première côte un peu raide. Ils n'ont pas de souffle, voyez-vous!

— Je ne crois pas précisément que nous allons voler vers les sommets durant les jours qui viennent.

— Qui sait, sourit le vieil homme, vous allez peut-être nous écrire une tragédie. Relisez Shakespeare : c'est un cloaque, non?

— Je n'ai pas le cœur d'en rire », dis-je avec énervement.

Le ministre reprit son sérieux et son visage vieillit de nouveau :

« Entourez-vous du minimum de collaborateurs, des gens « mouillés » de préférence. On les tient mieux.

— Je comptais mettre Delaunay dans le coup avec deux ou trois de ses hommes.

— Très bien. Il était à Alger avec vous.

— J'aimerais éviter de prendre Cavana... Mais ça me semble difficile.

— Si, prenez Cavana, mouillez-le au maximum. Ainsi nous le tiendrons mieux.

— A moins que ce ne soit lui qui ne nous mouille.

— Je compte sur votre habileté.

— Merci.

— Vous avez un plan?

— Non. Tout au plus une ou deux idées, mais je préfère ne pas en parler encore. Dans un premier temps, il convient de savoir comment nous allons exploiter les documents transmis par Steinhoff.

— Je crois qu'il vaut mieux scinder les opérations, éviter les rapprochements éventuels dans l'avenir. Je dirai à mon chef de cabinet de mettre la D.S.T. sur l'affaire. Opération immédiate. Le Président voudra sans doute exploiter politiquement ce succès. L'origine du dossier restera confidentielle. D'après ce que nous trouverons sur place lors des arrestations, nous aurons suffisamment de matériel pour établir les inculpations.

— Vous ne pensez pas que le Président doive être mis au courant de la contrepartie?

— Non, c'est mon affaire. Ou plutôt, c'est la vôtre. Il faut que je vous confie quelque chose à propos du Président. Il n'a aucunement l'étoffe d'un chef d'Etat. C'est un indécis. Il le sait, ce qui est pire. Une histoire comme celle qui se prépare le rendrait malade, je vous l'ai dit. D'ailleurs il s'y opposerait. Il n'a pas encore compris que la crédibilité du pouvoir se construit sur du sang, et cela depuis que le monde est monde. En temps de guerre, cela paraît normal. Mais la paix revenue ne signifie pas nécessairement que le monde ait retrouvé l'innocence originelle. »

Il était redevenu l'homme amer et sarcastique que je connaissais. Sa fatigue s'était de nouveau évanouie. Il feuilletait le dossier négligemment, comme il eût fait d'un magazine.

« La plupart du temps, il s'agit d'un sang coupable mais parfois aussi d'un sang innocent. Kennedy, qui pourtant voulait innover dans le genre « politicien sans tache », s'est trouvé tout de suite empêtré dans l'affaire de la baie des Cochons. Et c'est bel et bien lui qui a lancé l'aventure vietnamienne. Et pourtant il était meilleur play-boy que politicien... Voyez Pompidou, l'humaniste, adversaire de la peine de mort. Alors qu'il se sentait près de sa propre fin et qu'il n'avait toujours aucun mort à mettre à son compte, il a trouvé le moyen de refuser la grâce de deux condamnés dont un au moins n'avait tué personne... Du coup, il était crédible... Parfois je me demande comment nous nous débrouillerons dans l'autre monde. Vous êtes croyant, Athanase?

— Pas le Dieu barbu du catéchisme, si c'est ce que vous voulez dire.

— Mais comment vous arrangez-vous avec votre conscience?

— Je ne m'arrange pas...

— Il y en a qui pratiquent la thérapeutique de la balance...

— Oui, je connais ça. On met dans un plateau les quelques vétilles dont on se sent responsable et dans l'autre tous les crimes d'Hitler et de Staline et on se sent léger! Mais finalement je crois que Staline et Hitler et, mettons, Mao se sentaient encore plus légers, d'abord parce qu'ils étaient matérialistes et ensuite parce que la mort envisagée dans ces proportions devient un calcul statistique. Pas question de considérer Birgitt Haas comme une statistique.

— Non, mais elle a son compte de méfaits...

— Et droit tout de même à un procès...

— Qu'on ne pourrait jamais lui faire. »

Il voulait me rassurer. Et ça n'était pas nécessaire, car la mort de Birgitt Haas ne serait jamais un problème pour moi, ou alors je ferais un autre métier.

La nuit était tombée lorsque je quittai le ministre. Un printemps, un été, un automne et un petit bout d'hiver allaient passer encore. C'est tout ce qui restait de vie à Bauman. Il ne le savait pas, nous non plus.

Vous vous souvenez du fracas que fit l'arrestation de la bande terroriste de Saint-Germain, les photos à la une des journaux, la conférence de presse du ministre, les félicitations adressées par le Président à la Sûreté du territoire pour son magnifique travail, son enquête magistrale, son coup de filet fructueux. Il y eut des promotions, des décorations, bref, la mise en scène habituelle. Les jeunes gens arrêtés, tous d'excellentes familles, ne nièrent pas. Au contraire, ils firent des déclarations que leurs avocats rendirent publiques : ils reconnaissaient avoir voulu enlever notre ministre des Affaires étrangères. D'ailleurs, on avait trouvé chez eux un plan de l'enlèvement. Des comparses avaient échappé à la rafle, mais les grosses pièces étaient sous les verrous.

Steinhoff avait dû bien rigoler.

Je téléphonai à Chamerode et lui demandai de contacter Schmidt. Je désirais avoir accès aux fichiers de Bonn. Le lendemain je reçus un pneumatique sans signature avec cette seule phrase : *Accord pour fichier. Merci.*

Le merci était de trop.

Il était presque midi quand je réunis une conférence restreinte dans mon bureau. Il y avait là Cavana, Delaunay pour la vieille garde, un ancien de la piscine, appelons-le Grégoire, ça n'est pas son vrai nom, bien sûr, qui connaissait toutes les vieilles ficelles de la lutte clandestine et savait manipuler son monde, et Gasser qui contrôlait une armée de « porte-flingue » réunis au sein de ce que nous appelions pudiquement le « Groupe Action » : des gens qui avaient travaillé à peu près pour tout le monde mais qui agissaient — quand on les payait — sans poser de questions.

Cavana se tenait tout raide sur sa chaise. Delaunay donnait l'apparence d'un gros chien tombant de sommeil. Grégoire tirait méthodiquement sur une pipe de bruyère que je lui connaissais depuis quinze ans et Gasser, qui ne paraissait pas ses cinquante ans, avait l'allure d'un jeune fauve prêt à bondir. On le sentait extraordinairement entraîné physiquement, et je le savais capable de donner du fil à retordre au plus redoutable de ses lascars. Gasser n'était pas un enfant de chœur. Il avait tué plusieurs hommes de ses mains. On racontait qu'à Saigon, avant que les Américains aient pris notre relève, lorsqu'ils jouaient volontiers les libérateurs, Gasser avait étranglé un agent de la C.I.A. qui s'était introduit dans sa chambre pour fouiller ses dossiers.

Je n'ai jamais compris les motivations de gens comme Gasser. Ils ne tuent pas par plaisir, mais ils le font sans complexe, comme on le leur a appris. Ils ne sont pas tous idiots. Certains sont même assez subtils pour rester en vie longtemps et mourir tout banalement d'un cancer ou d'un infarctus. Dans une certaine mesure, ils m'épouvantent. Gasser a pour lui d'être un patriote. Au fond, c'est un grand naïf. Il se croit indispensable à son pays et ignore, tout tueur qu'il est, qu'on le manipule comme les autres, comme ceux qu'il tue. Je sais que les gens du service le méprisent un peu pour cela. Je souhaite qu'il ne s'en rende jamais compte.

Cette conférence devait être suivie de beaucoup d'autres. Cavana, qui avait paru ennuyé les premiers jours, semblait s'intéresser un peu plus à l'affaire. Il ne disait mot mais réfléchissait intensément. De temps à autre il posait une question brève et précise, nous mettant si possible dans l'embarras. Il aimait nous faire appeler les choses par leur nom; ce que nous préparions était un « assassinat ».

Nous avions maintenant en notre possession un dossier complet sur Birgitt Haas. La police secrète fédérale l'avait entièrement déshabillée. Elle connaissait tout d'elle, de sa vie intime, de ses goûts en amour, voire de ses perversions :

« A croire que toute la Kriminal Polizei a couché avec elle », dit Delaunay, écœuré.

Gasser restait impassible, mais je voyais qu'il observait Cavana. Les deux hommes s'étaient détestés sitôt mis en présence l'un de l'autre.

Un jour, Gasser vint me voir après le départ des autres.

« Vous voulez savoir ce que je pense de lui, hein? dit-il avec une drôle de méchanceté rentrée. Ce pisse-froid a un ordinateur à la place du cerveau et une paire de couilles à la place du cœur. Vous et moi, nous savons que la besogne n'est pas propre, mais nous la faisons parce qu'il faut quelqu'un pour cela. Mais ce type n'a aucun sens de l'Etat. C'est une crapule d'arriviste. Il vendrait son pays en échange d'un portefeuille de ministre.

— Je crois qu'il a les dents encore plus longues que vous ne pensez, Gasser. Mais vous allez un peu loin en supposant qu'il trahirait. Il est trop malin pour cela.

— En tout cas, j'aimerais assez qu'on me demande un jour de lui briser les reins...

— Pas tout de suite... »

Gasser sourit et sortit.

Aux premiers jours de l'été, nous avions envisagé un certain nombre d'hypothèses de travail. La plupart tournaient autour d'une opération « à la Oswald ». Mais il y avait beaucoup d'hypothèses Oswald — la meilleure étant celle de la doublure. Oswald avait été vu par trop de monde au bon endroit, c'est ce qui fit penser immédiatement aux petits malins qu'il s'agissait d'un coup monté. Oswald était le figurant. Quelqu'un d'autre avait commis le meurtre.

« Trouvez-moi un bon figurant, dit Gasser, et je me charge de trouver un homme pour faire le travail. »

Nous avions paradoxalement éliminé tout de suite l'idée d'un accident.

« Personne n'y croira, avait dit Delaunay. Si une voiture la renverse, on dira que c'était un crime maquillé; si elle s'empoisonne, on dira la même chose; si elle meurt de mort naturelle, personne n'y croira davantage.

— Alors il vaudrait mieux que ça ait l'air vraiment d'un crime, dit Cavana.

— Avec un bon mobile qui ne soit pas politique », précisa Grégoire.

J'acquiesçai. Gasser, d'un regard, montra qu'il était d'accord.

Je me tournai vers Cavana, pas fâché de le mettre enfin dans le bain :

« Puisque vous avez été le premier à formuler l'hypothèse d'un crime, vous allez travailler là-dessus. Premier temps : trouvez-nous un bon mobile; deuxième temps : trouvez le pigeon. »

Durant les journées de canicule, il m'arriva de voir plusieurs fois le ministre. Jamais il ne fut question de l'affaire autrement qu'à mots couverts. Il me lançait : « Comment va votre amie munichoise? » et je lui répondais : « Très bien, mais il est possible que ça ne dure pas. »

« Etant donné ce que nous savons de la vie sexuelle de Mlle Haas, me dit un matin Cavana, je crois qu'on pourrait fabriquer un bon mobile autour de cela.

— On ne tue plus par amour, dis-je.

— Je n'ai pas dit « amour » mais « sexe ». Elle s'est attaché beaucoup d'amants. Ils sont probablement fascinés à la fois par sa sensualité et par la violence dans laquelle elle vit.

— Ce doit être excitant », dis-je en soupirant pour bien marquer que je me foutais des histoires de cul.

Gasser avait raison à propos des couilles de Cavana.

« Bon, dis-je, il vous reste à trouver votre criminel passionnel. »

Je n'y avais jamais cru. Depuis le début, l'affaire m'avait paru trop incroyable et secrètement je souhaitais qu'elle échoue, que Cavana ne trouve personne, que Birgitt Haas aille au diable et Steinhoff avec. Pendant plusieurs jours, je fus de méchante humeur. Je n'adressais plus la parole à personne. Même ma femme s'était aperçue du changement, mais elle avait renoncé à me poser la question « Qu'est-ce qui ne va pas? » sachant par avance que je lui répondrais évasivement. Le secret m'enfermait dans une gangue dont je ne pouvais m'échapper.

Et puis vint ce mardi de juillet où Cavana, après

que nous eûmes entendu Delaunay, Grégoire et Gasser, posa sa question :

« Avez-vous entendu parler d'un truc qui s'appelle « Détresse Assistance »?

— Ils font de la publicité dans le métro, dit Delaunay.

— C'est une drôle d'officine, continua Cavana. Association sans but lucratif. Ils ont un numéro de téléphone, un standard dont la plupart du temps les lignes sont occupées. J'ai fait visiter leur bureau dans le XV⁰ arrondissement. C'est assez miteux. Escalier de bois pas ciré. Vieux verrous, trois tables et un standard téléphonique miniature à trois postes. Les gens qui conservent l'écoute vingt-quatre heures sur vingt-quatre disposent de casques émetteurs-récepteurs. Ce sont soit des étudiants en psychologie ou en psychiatrie, soit des médecins bénévoles, les moins nombreux. Il y a quelques prêtres catholiques aussi et un pasteur protestant. Au total, une trentaine de personnes, une majorité d'hommes, qui se relaient et conservent l'écoute pendant quatre heures d'affilée.

— Et alors? fit Delaunay du ton placide d'un homme qui ne s'attend à aucune révélation essentielle.

— Eh bien, toutes sortes de gens téléphonent à ce numéro. Pour un tiers, des femmes qui souffrent d'insomnie ou qui ont des angoisses digestives...

— Je vous en prie, Cavana...

— Bon... Heu. (Il regarda ses notes.) Il y a aussi des désespérés, des névrosés. Certains ne savent pas très bien où ils en sont et alors le psychologue de service essaie de les faire parler. En général, après une heure de conversation, ils vont un peu mieux. Ils ont pu se débarrasser d'une partie de leurs soucis.

— C'est un peu comme la confession, dit Grégoire.

— Sans l'absolution, corrigea Cavana...

— Je voudrais bien savoir où nous allons », coupa Gasser, agressif.

Cavana continua, imperturbable :

« Eh bien, il arrive que des types téléphonent plusieurs fois. Petit à petit, on finit par connaître toute leur vie. Ils en disent plus au téléphone que devant n'importe quel médecin en chair et en os. »

Cavana fit une pause et regarda ses interlocuteurs devenus soudain attentifs. Il savourait son triomphe :

« Alors je me suis demandé comment toute cette masse de renseignements pouvait rester inutilisée. Et j'ai fait ma petite enquête.

— Conclusion? demandai-je.

— Elle ne l'est pas.

— Quoi?

— Inutilisée. »

Il toussota :

« Quelqu'un d'autre y a pensé avant nous : le S.D.E.C.E.! »

Gasser éclata de rire :

« Vous verrez que nous finirons par avoir ces fumiers sur le dos.

— Je ne le souhaite pas », dis-je.

Cavana poursuivit :

« Ils ont branché une bretelle d'écoute sur la ligne de « Détresse Assistance » et enregistrent tout depuis des mois. Le ministre n'est pas au courant. (Il me jeta un coup d'œil amusé.) Ils ont juré de renoncer à leurs vieilles manies au moins vingt fois. Ils ont fait semblant de brûler leurs fiches. Mais ils n'ont jeté au feu que du papier blanc. Que voulez-vous! Les « écoutes », c'est leur cancer. On a beau opérer, il y a toujours des métastases!

— Le ministre ne nous donnera jamais son accord pour brancher une écoute sur votre officine.

— Mais nous pouvons très bien poser une bretelle sur celle du S.D.E.C.E., grogna Gasser. Ça, je pense que le ministre s'en fout. Et je crois même que ça lui ferait plaisir de savoir que nous espionnons ces salauds. »

Gasser n'avait pas digéré certains coups bas qui remontaient à l'époque de l'O.A.S.

« J'y ai déjà pensé, sourit Cavana.

— Vous y avez seulement pensé? » demandai-je.

En guise de réponse, Cavana se baissa et prit à côté de son siège une volumineuse serviette de cuir noir qu'il ouvrit calmement et dont il vida le contenu sur mon bureau. Je contemplai sans rien dire la pile de bobines de magnétophone. Il devait y avoir une vingtaine d'heures d'écoute...

« Très exactement vingt et une heures et dix minutes », lança Cavana, dont la pensée, décidément, communiquait avec la mienne.

J'étais content. Le petit technocrate semblait

prendre plaisir à tremper ses mains dans la merde, comme ces bébés qui, découvrant leurs étrons, promènent triomphalement leur pot sous les yeux de leurs parents.

Tout en songeant que la première production de l'homme était d'ordre excrémentiel, j'applaudis machinalement devant le tas de bobines étalées sur le bureau.

« Fort bien, dis-je. Vous allez écouter cela et transcrire. Puis vous ferez un tri. Je ne veux pas écouter les délires de bonnes femmes et les bavards professionnels. Mais il n'est pas sûr que nous trouvions notre oiseau là-dedans. Je ne vois pas du tout pourquoi nous l'y trouverions. Voilà en tout cas de quoi vous occuper quelques jours. »

Gasser, cette fois encore, resta après que les autres furent sortis :

« Je ne sais pas quelle est votre opinion, mais je n'ai qu'une confiance mitigée dans les idées de ce type. Que diable, cela ressemble à un mauvais roman.

— Mais nous sommes en train d'en écrire un. Le ministre croit cependant qu'avec un peu d'efforts nous pourrions atteindre à la tragédie. »

Gasser partit en dodelinant de la tête, comme si toute cette histoire le dépassait.

Il n'y eut plus de conférence pendant les jours qui suivirent. Le thermomètre était monté à trente-quatre degrés et, en regardant les feuilles crever de soif sur les marronniers de l'avenue, je me demandais si j'aurais la possibilité de prendre des vacances cette année-là.

Le ministre m'invita à déjeuner la veille du 14 juillet. Il y avait de la fête dans l'air, des drapeaux partout, des petits kiosques tricolores installés dans les squares pour abriter les orchestres d'un soir, et des fleurs à profusion. Les jardiniers ne cessaient d'arroser, mais le soleil flétrissait tout avec une voracité effarante et, malgré les soins, les pelouses se mouraient et les fleurs plantées le matin s'étiolaient avant la tombée de la nuit.

Je trouvai le ministre de fort bonne humeur. Ses yeux bleus étaient plus vifs que jamais et je me demandais à quel crédit porter son excitation lorsqu'il éclata d'un rire que je ne lui avais jamais connu :

« Matamore est nommé ambassadeur à Bonn!

— Je ne vois pas...

— Imaginez qu'il ait vent de votre affaire. Il avertirait le Président qui se tournerait vers moi. Et, vraiment, je serais dans mes petits souliers.

— Et ça vous amuse tellement?

— Ecoutez, Athanase, il ne m'arrive jamais rien de drôle... Laissez-moi rire au moins de ce qui « pourrait » m'arriver... Mais qui n'arrivera pas. Matamore est trop bête. Vous vous souvenez de ce qu'on disait de cet homme d'Etat américain : « Si vous déplacez son assiette de dix centimètres, « il mourra de faim. »

J'aurais pu lui gâcher son plaisir en lui parlant des « écoutes ». Mais je n'en fis rien. Pourtant, si j'avais parlé ce jour-là, il se serait probablement opposé à l'initiative de Cavana et rien de ce qui s'est passé par la suite ne serait arrivé.

A ce stade de notre aventure, je songe que tout le malheur de cette affaire a découlé autant de ce que nous avons dit que de ce que nous avons tu.

Pendant toute la seconde quinzaine de juillet, Cavana s'activa. Bien qu'il ne fût dans nos services que depuis un an, il en avait facilement assimilé le fonctionnement et compris les rouages. Durant toute cette période de fébrilité où il fut animé d'une réelle passion pour son affaire, je commençai à me reprocher l'opinion hâtive que j'avais formée sur lui. Sa compagnie finit par me devenir supportable et il m'arriva de répondre à ses sourires. Je crois même que je me hasardai une fois à lui serrer la main.

Le 20 du mois, il se fit annoncer et entra avant même que l'huissier ait quitté mon bureau.

« Je crois que j'ai votre bonhomme, jubila-t-il.

— *Notre* bonhomme », corrigeai-je, peu soucieux d'endosser la totalité des responsabilités d'une affaire qui s'annonçait mal, mais tout en sachant qu'officiellement et moralement j'aurais à l'assumer.

« Excusez-moi », dit Cavana en fourrageant dans sa serviette dont il extirpa une sorte de cahier broché, une grande fiche cartonnée et quelques photos. « Il s'appelle Bauman, Charles-Philippe Bauman... Il a trente-six ans. Un mètre quatre-vingt-quatre, soixante-douze kilos quand il se porte bien. Mais ça n'est pas le cas en ce moment... Il est blond, a les yeux bleus et tombe facilement amoureux... Enfin vous lirez tout cela... »

Il me montra la feuille cartonnée. Je la parcourus des yeux : rien n'avait été laissé au hasard, de l'état civil des grands-parents au groupe sanguin de Bauman, en passant par ses maladies d'enfant. Je m'attardai sur le passage concernant son état de santé actuel : est sujet à des crises d'asthme, d'urticaire, souffre de tachicardie et de dépression cyclothymique.

« Sa femme l'a laissé tomber il y a cinq semaines et elle est partie avec leur enfant.

— Quel âge?

— Vingt-huit ans!

— Pas la femme, l'enfant?

— Sept ans! »

Jetant un coup d'œil à la rubrique « profession », je lus : *aléatoire*.

« Qu'est-ce que ça veut dire?

— Eh bien, il change de métier assez souvent... Il a des compétences, mais il semble que rien ne lui plaise... Sans doute lié à son caractère dépressif... Actuellement il est inscrit au chômage. Mais ces derniers mois il travaillait comme traducteur chez un éditeur. Il parle et écrit couramment l'allemand, comme beaucoup d'Alsaciens. Tout ses emplois antérieurs sont en rapport avec cette spécialité : archiviste dans un quotidien du soir où il faisait la revue de la presse allemande, interprète à l'Unesco, car il a aussi une bonne pratique de l'anglais. Mais il s'agissait d'un emploi intérimaire, car ils ne prennent que des diplômés de l'école des interprètes. Ah! il a été accessoirement guide touristique pour une agence de la capitale il y a quelques années. Il a été renvoyé pour avoir eu une aventure avec une cliente lors d'un voyage en pays de Loire...

— Tiens, tiens! Vous ne m'aviez pas dit que c'était un don Juan!

— Pas du tout. Il a toujours prétendu que c'était la femme qui lui avait fait des avances... Et il disait probablement la vérité. Vous verrez en lisant les sténos de « Détresse Assistance » qu'il est — comment dire quand il s'agit d'un homme? — l'équivalent de « fille facile ». Il prétend qu'il n'a jamais osé adresser le premier la parole à une femme, mais il se laisse facilement draguer.

— Par les hommes aussi?...

— Non, ça n'est pas le genre, bien que les types de la section « Psy » disent qu'il a une personnalité très complexe de ce point de vue...

— Il l'est ou il ne l'est pas?

— Non! Il ne l'est pas. »

Cavana avait l'air d'en savoir beaucoup sur la question et la manière dont il avait tranché m'inclina à lui faire confiance.

« Pour le reste, dit-il, et c'est ce qui est important, il appartient tout à fait au type physique et psychologique dont raffole Mlle Haas qui, elle, est une dragueuse. Elle se fournit en amants dans les bars, les halls d'hôtel, les terrasses de bistrot. »

J'avais lu le rapport de Steinhoff où ces précisions et d'autres plus intimes étaient méticuleusement analysées. Birgitt Haas ne gardait la plupart de ses amants qu'un jour ou deux. Elle ne couchait jamais avec des membres de son organisation depuis qu'elle en avait pris la tête. Elle draguait ou se laissait draguer dans les bars et les halls d'hôtel.

« Cette jeune personne a une vie très animée, dis-je. A vous écouter et à lire les rapports de Steinhoff, je me demande comment elle a encore le temps d'organiser des enlèvements et de poser des bombes. »

Cavana haussa les épaules comme si c'était également un mystère pour lui.

Je passai trois jours à étudier le dossier Bauman et à faire vérifier certains points de détail. Je lus les sténos d'enregistrement et demandai à écouter les bandes. J'y passai plus d'une nuit. Puis j'appelai Gasser et le priai d'engager une opération « rapprochée ». C'est un terme pudique qui couvre toutes sortes de pratiques policières allant de la simple filature au cambriolage. En fait, les hommes de Gasser ne poussèrent pas le zèle jusqu'à la « fauche » de documents, mais ils s'assurèrent de détails importants sur la vie privée de Bauman. Et ce que j'appelle un détail important peut aussi bien être la marque d'eau de toilette et de dentifrice utilisés par notre homme que l'emplacement de son journal intime s'il en tient un. J'avais insisté sur ce point. Si nous voulions contrôler totalement Bauman, nous ne devions pas négliger l'éventualité qu'il pût confier certains éléments nouveaux de son existence à un cahier secret. Dans ce cas, il nous fallait en connaître l'emplacement pour le récupérer dès que nous serions entrés dans la phase finale.

La première visite domiciliaire des gens de Gasser ne donna rien sur ce point. Mais j'insistai pour qu'ils recommencent. J'étais persuadé qu'un type comme Bauman devait tenir un journal, mais je savais aussi que, si le document existait, il était soigneusement dissimulé. Ce ne sont pas là genres d'écrits qu'on laisse à portée d'une femme de ménage ou d'un copain indiscret.

Quand je consulte mes notes, je constate qu'à la date du 27 juillet il est fait mention de la découverte du « journal de Bauman » au fond d'un placard de cuisine sous une pile de torchons. Gasser en avait fait faire des photocopies. Je les lus et elles ne m'apprirent rien que nous ne sachions déjà par les écoutes, sinon que Bauman soupçonnait sa femme Madeleine de le tromper avec un ami commun prénommé Georges. Je m'étonnai qu'il ne soit question que de ce Georges, car les renseignements recueillis par Cavana laissaient entrevoir des aventures plus diverses où d'autres noms étaient avancés, mais jamais celui de Georges.

J'en parlai à Cavana, qui se montra lui aussi étonné mais n'attacha pas beaucoup d'importance à ce détail.

« Georges, Henri, Jacques ou Jules, qu'importe? L'essentiel est qu'elle l'ait plaqué.

— D'après ce qu'il raconte au type de « détresse Assistance », il refuse le divorce.

— Oui, il est persuadé qu'elle lui reviendra.

— C'est de moins en moins sûr, dis-je, étant donné le destin que nous lui préparons. »

Je fixai Cavana et je vis qu'il pâlissait. Classique

défaillance devant l'action. Il y a quelque chose d'excitant dans la préparation d'une opération. J'imagine que les cinéastes doivent éprouver un peu le même sentiment lorsque le moment est venu de crier : « Action », avec cette petite différence que nos morts, eux, ne se relèvent jamais après le mot « fin ».

Cavana se reprit rapidement. Il avait les nerfs solides.

Je dis seulement :

« Va donc pour Bauman! »

C'est ainsi que débuta cette lamentable affaire.

II

LES ARTISANS AU TRAVAIL

BAUMAN se demandait à présent si cette idée de
« Détresse Assistance » avait été bonne. Cela ser-
vait-il à quelque chose de raconter sa vie, de res-
sasser son malheur? Il se souvenait de la première
fois, de la voix au bout du fil : « Oui, je vous
écoute », et de l'appareil qui lui renvoyait son
propre souffle. Il n'avait pas su quoi dire et pendant un long moment il était resté silencieux,
mais il sentait l'homme attentif : « Oui, je vous
écoute », avait répété la voix.

Et maintenant il recomposait le passé et s'interrogeait sur ce qu'il aurait dû dire ou ne pas dire.
Et puis à quoi cela avait-il abouti? A le soulager
quelques heures, quelques jours. Mais c'était vite
devenu comme une drogue. Chaque fois, il se
jurait bien de ne plus appeler, mais il y revenait.
Et toujours la même voix : « Oui, je vous écoute. »
Jamais une réponse... Lorsqu'il posait une question, lorsqu'il formulait un doute, l'autre répli-
quait par une autre question.

Un jour, il avait explosé. Il lui avait jeté :

« Vous êtes un flic ou quoi? » L'autre avait juste dit : « Pourquoi, vous avez quelque chose à avouer? » Et de nouveau le silence, puis la résonance de sa propre voix qui finissait par l'étourdir.

Ça le tracassait d'être vaincu par cet inconnu qu'il imaginait, immobile, attentif sans doute, investi du pouvoir terrible de décrypter les consciences. Bauman était bien décidé à ne pas se démasquer. Il avait tenu pendant deux séances. Jusqu'au moment où l'autre lui avait conseillé de voir un psychanalyste. Bauman avait demandé des noms et le type avait promis de se renseigner : « Où puis-je vous joindre? » avait-il demandé. Il s'était repris tout de suite : « Mais, si cela vous gêne, vous n'aurez qu'à m'appeler vous-même. » Au fond, Bauman avait éprouvé un certain plaisir à entendre l'inconnu se montrer curieux de quelque chose. Il lui avait donné son nom, son adresse, son téléphone, d'un coup, sans hésiter.

Voilà, comme cela il saurait tout. Ça lui avait moins coûté que de raconter le départ de Madeleine. Parce qu'il s'était senti coupable dès le début. Lorsqu'elle avait dit : « C'est fini », il avait répondu : « Non », mais il pensait seulement : « Ça n'est pas possible », parce que le sol se dérobait sous lui et qu'il ne trouvait rien à quoi se raccrocher. Comme d'habitude, il avait pris le Ciel à témoin tout en restant convaincu qu'il n'avait pas le droit de refuser le malheur. Depuis qu'il était enfant, ne lui avait-on pas appris la résignation, les seuls mots qu'il savait répéter n'étaient-ils pas : « C'est ma faute »?

Il n'avait jamais cherché vraiment à regagner le cœur de Madeleine. Il n'avait même pas voulu revoir l'enfant. Il acceptait ce double abandon comme la sanction d'une faute qui le dévorait depuis des années : l'aventure avec la fille de l'autocar. Il s'en souvenait avec un mélange de colère et de jouissance jamais assouvie.

Pourtant, il avait fait l'aveu de son infidélité à Madeleine avant même que l'agence de tourisme l'ait renvoyé. Elle n'avait rien dit. Elle avait juste souri, mais peut-être après tout avait-elle envie de pleurer. Oh! pas sur elle, mais sur la lâcheté de son mari.

Bauman ricana : « La parfaite, la droite, la pure Madeleine! »

C'était à partir de cette époque qu'elle avait commencé à le tromper. Ça, il l'admettait. C'était normal. Il fallait qu'il paie. Mais il n'avait pas compris pourquoi l'agence l'avait fichu dehors. Il n'avait pas fait d'avances à la fille. Au début, il avait même eu des scrupules, mais elle l'avait rassuré : « Idiot, c'est moi qui t'ai dragué! » Il se souvenait du plaisir fou qu'il avait pris avec elle. Il ne pouvait s'empêcher de revivre inlassablement les gestes de leurs étreintes. Elle était venue dans sa chambre à l'étape de Châteauroux. Elle était brune et lisse, et rien ne semblait la gêner en amour : « Tu fais l'amour comme un bigot. » Elle lui avait dit ça et lui avait montré comment faire. Elle était joyeusement perverse et elle lui laissa autant de regrets que de remords.

Après cela, bien sûr, et avec ces pensées qui lui tailladaient les sens, il n'avait rien osé dire quand

Madeleine avait commencé à avoir des liaisons régulières.

Il était prêt à tout subir pour qu'elle ne parte pas.

Il savait quel était le prix : les attentes, les rentrées nocturnes tandis qu'il feignait de dormir tapi au fond du lit, une boule au creux de la gorge, guettant le claquement léger de la porte, puis les bruits d'eau et, dans le silence enfin revenu, ce froissement de soie et le poids soudain du corps de Madeleine deviné plus que senti, ce corps dont il respirait le parfum mais qui jamais plus ne s'approcherait de lui.

Sans doute viendrait inexorablement l'heure des explications. Mais il la retardait autant qu'il pouvait. En fait, il n'y eut jamais d'explications. Bauman n'aimait pas se souvenir de la manière dont cela s'était passé.

Elle était entrée dans la chambre, une valise à la main :

« Voilà, c'est fini, je m'en vais! »

L'enfant était à côté d'elle qui regardait sans comprendre. Bauman n'avait pas très bien compris non plus. Il avait jeté un œil inquiet vers Jérôme, se raccrochant désespérément à ce petit garçon comme s'il allait intercéder pour lui.

Pour la dernière fois, Madeleine s'était approchée de son mari. Ses lèvres avaient effleuré sa joue. Jérôme avait murmuré un « Au revoir, papa ». Et, comme Bauman essayait de dire quelque chose, de retarder l'issue fatale, elle l'avait coupé :

« Excuse-moi, j'ai un taxi en bas! »

Il avait encore demandé :

« Tu vas chez Georges? »

Elle n'avait pas répondu. Par la suite, elle n'avait plus communiqué avec lui que par téléphone. Elle était polie : « Comment vas-tu? » Il pensait : « Elle se fout de moi. »

« Tu veux voir Jérôme? Tu peux aller le prendre à la sortie de l'école...

— On verra... »

Au fond, il n'avait pas envie d'y aller. Il ne s'était jamais considéré tout à fait comme un père, jamais responsable, jamais concerné. Le seul sentiment qui le rapprochait de l'enfant était la peur. Il avait toujours eu peur pour lui : avant sa naissance, pendant, après... Chaque chute, chaque accès de fièvre avaient été pour lui une source d'angoisse.

Un matin il était tout de même allé devant l'école guetter le passage de Jérôme. Il désirait seulement le voir, pas être vu. Il aperçut à peine la petite tête de plumeau parmi d'autres têtes de plumeau, mais ce qu'il vit très bien, ce fut Madeleine donnant le bras à Georges. Alors il n'eut plus qu'une hâte : disparaître. Il tourna le coin de la rue et détala. Il ne retourna jamais à l'école.

Des semaines avaient passé maintenant où il s'était enfoncé dans le désespoir et l'amertume.

Il y avait un peu plus d'un an que Georges avait fait sa réapparition dans la vie de Madeleine et dans celle de Bauman par la même occasion. Il arrivait de province où avait débuté sa carrière de fonctionnaire.

Madeleine avait dit un jour :

« Georges a téléphoné. Il vient d'être nommé à Paris...

— Qui ça, Georges?

— Mais tu sais bien... Nous étions ensemble à la faculté de Poitiers...

— Un matheux?

— Non : Sciences-Po... Nous n'avions pas grand-chose en commun, mais nous nous étions rencontrés au groupe d'art dramatique... Il me faisait la cour... Franchement, je le trouvais odieux... Quand j'ai terminé ma licence, je ne l'ai plus revu... Mais il me téléphonait de temps en temps... Et puis plus rien... Il avait des ambitions politiques.

— Et le voilà de retour?

— Oui, je l'ai invité à dîner demain... Ça ne t'ennuie pas? Je suis curieuse de voir ce qu'il est devenu... Il avait l'air très mystérieux au téléphone. »

Le dîner n'avait guère élucidé le mystère, si mystère il y avait. Georges était resté évasif sur ses nouvelles fonctions.

Mais Bauman n'avait pas du tout aimé la manière dont il prenait possession de l'espace où il évoluait. Les gens autour de lui semblaient soudain lui appartenir. Comme d'habitude, Madeleine parlait, parlait, ne laissait placer un mot à quiconque... Et Georges écoutait, secret, attentif, dominateur... Bauman l'avait haï tout de suite.

90

« Je comprends que tu l'aies trouvé odieux, avait-il dit à Madeleine.

— Odieux? Je t'ai dit qu'il était odieux? Eh bien, je le trouve plutôt mieux. »

Bauman avait songé : « Qu'est-ce que ce devait être avant! »

Mais il avait saisi par quel détour il séduisait maintenant Madeleine : le mystère... Il s'était regardé dans la glace : « Charles-Philippe Bauman, où est ton mystère? »

Cela s'était passé avant l'épisode de la fille de Châteauroux, avant la rupture virtuelle dans leur ménage... Et, quand Madeleine avait commencé à coucher avec d'autres types, il n'était pas du tout sûr que Georges ait été des premiers... Mais son tour était venu...

Les dîners s'étaient succédé et Madeleine avait cédé à la fascination. Bauman, en regardant Georges, savait tout ce que l'autre avait de plus que lui : l'élégance, la culture, la maîtrise de soi et ce froid regard de tueur. Il laissait Madeleine se ligoter elle-même dans son désir, comme s'il était certain de recueillir le feu allumé par d'autres.

Quand Bauman entrait dans le salon, il surprenait leur complicité. Ils ne s'en cachaient même pas, bon Dieu... Plusieurs fois, il les avait trouvés ainsi, face à face, qui faisaient l'amour avec leurs yeux.

Dans ces moments, il se sentait affreusement seul avec son remords et le spectacle de son châtiment.

C'est à partir de cette époque qu'il avait pris

l'habitude de se retirer très tôt, les abandonnant à leur dialogue qui le rejetait, se rejetant lui-même dans l'ombre douloureuse de la chambre, cherchant un sommeil qui ne venait pas. Il songeait à l'enfant qui dormait à l'autre bout de l'appartement, inconscient de la pénible comédie qui se jouait à quelques mètres de lui.

Plus tard, des pas furtifs, le déclic d'une serrure doucement verrouillée et les ignobles bruits d'eau lui apprenaient que la scène était jouée.

Pourtant il aurait tout tenté, tout supporté, tout ignoré pour qu'elle ne parte pas.

Madeleine était trop belle, trop séduisante pour lui. Tout le monde lui avait répété : « Tu ne connais pas ta chance. » Ah! on lui avait bien fait comprendre qu'il était un pauvre type. On ne dirait jamais cela à Georges. Georges et Madeleine, ça allait bien ensemble : chacun méritait l'autre.

« Voilà, c'est fini, je m'en vais! »

Brève conclusion. Ni larmes, ni bavardage vain. Madeleine était une femme efficace.

Le second mois avait été le plus dur.

Parce qu'au début il était resté endolori, comme sous le coup d'une de ces blessures qui vous causent un tel choc que vous ne parvenez pas à localiser la partie du corps qui a été atteinte.

Bauman était pareil à ce petit garçon dont il avait vu la jambe emportée par une bombe oubliée de la dernière guerre et qui était resté assis sur un tas de cailloux, disant à sa petite sœur de ne pas s'inquiéter tandis que le sang et la vie s'échappaient à flots de son moignon déchiqueté.

Quand la douleur monta en lui, plus tard, lancinante, il se raccrocha à cette image atroce en espérant qu'elle lui rendrait son mal dérisoire. Mais cela lui fut d'un maigre secours parce que, déjà, il ne pouvait plus penser qu'à lui-même.

Les aliments auxquels il touchait n'avaient plus de goût et les objets autour de lui plus de forme. Le soleil d'avril qui resplendissait au-dehors n'était plus qu'un disque noir dans un ciel de plomb. Lorsqu'il ouvrait la fenêtre machinalement, le vacarme de la rue l'agressait de toutes parts et il s'empressait de battre en retraite vers son lit niché dans le coin le plus sombre d'une chambre déjà obscure.

Le petit logement de la rue Monge mourait d'ennui et d'abandon. Après le départ de Madeleine, Bauman avait laissé tout en place comme s'il avait voulu figer à jamais le décor du bonheur passé. Il avait pensé que les amis reviendraient animer la maison et applaudir la pièce qui, inlassablement, déroulait ses actes dans sa tête. Mais il avait oublié que la principale interprète avait quitté l'affiche, et il restait là tout seul comme un vieil acteur gâteux qui aurait continué à hanter les planches bien après que le théâtre et le spectacle aient fait faillite.

A l'agence nationale pour l'emploi qui avait été autrefois le bureau de chômage, puis le bureau de main-d'œuvre, le type qui s'occupait de son dossier n'avait pas grand-chose à lui offrir : « Vous êtes un cas difficile, disait-il, vos compétences multiples ne parviennent pas à entrer globalement dans un créneau. »

En d'autres circonstances, Bauman se serait amusé d'un tel jargon, mais, cette fois-là, le type lui avait paru franchement sinistre. C'était un homme rond et chauve, toujours le même. Il était très poli avec Bauman. Il exprimait des regrets : « Je suis navré, mais vous n'avez pas le droit aux allocations. Vous n'êtes pas resté assez longtemps dans votre dernier emploi et puis il n'y a pas eu compression de personnel. Vous êtes parti volontairement. »

Bauman se demandait précisément s'il était parti si volontairement que cela. Apparemment sans doute, tout était contre lui. S'il leur avait parlé des « forces intérieures » qui le paralysaient, ils lui auraient ri au nez. Quand il y pensait, cela faisait monter en lui une violente colère. Il avait envie de prendre une hache et de frapper autour. Heureusement, le courage lui manquait, et il restait le plus souvent prostré sur son lit, les yeux rivés sur un point du plafond qu'il ne voyait même plus, poursuivi par ses douleurs, ses haines et ses regrets.

Il avait espéré que le printemps améliorerait son état de santé. Il avait l'habitude de guetter sa venue dans les rues et les jardins, le nez en l'air, épiant le bourgeonnement tardif, puis l'éclosion des petites feuilles et plus tard l'épanouissement des fleurs.

Mais ce printemps-là n'avait pas opéré. Bourgeons et fleurs l'avaient laissé indifférent.

Un jour, pourtant, il avait voulu voir un vieux film au Quartier latin. Il était sorti un peu après midi, ébloui par le soleil tout neuf dont la chaleur naissante était tempérée par une brise légère et fraîche. Bauman avait marché jusqu'à la rue Gay-Lussac et avait gagné le jardin du Luxembourg. Il y avait fait quelques pas au milieu des enfants et des rires. Mais toutes ces images de « petits plumeaux » virevoltant avec des cris aigus l'avaient étourdi et, pris de malaise, il avait dû s'asseoir sur un banc, attendant que les battements de son cœur se soient apaisés.

Il avait ensuite erré dans les ruelles du Quartier à la recherche du cinéma. De la place Saint-Michel au Luxembourg, il n'y a rien d'autre à faire, à moins que vous n'ayez envie d'un sandwich tunisien, d'un complet de faux alpaga ou d'un livre d'art en solde. Bauman avait regardé avec indifférence tous ces étalages de pacotille. Comme il n'avait presque plus d'argent, il était plutôt fasciné par les choses de prix, les œuvres rares et les vestes à quinze cents francs.

Dans ce périmètre envahi par le mercantilisme, le cinéma était encore la seule denrée de valeur abordable. Bauman aimait les bons vieux films qu'on donnait et qu'il avait vus jadis à Colmar les dimanches d'hiver dans une salle bondée et hurlante.

Le « Studio », où il avait échoué ce jour-là, sentait l'aisselle et l'urine avec quelquefois un relent de « hasch » refroidi. Rien n'avait changé depuis qu'il y était venu quinze ans plus tôt. Le patron continuait à vendre lui-même les confiseries de l'entracte tout en lorgnant vers la sortie de secours dont il vérifiait dix fois par jour la fermeture dans la hantise qu'un resquilleur ne parvienne à la forcer.

C'est en s'asseyant sur un strapontin couinant que Bauman se souvint être venu dans cette salle avec Madeleine. Et de nouveau la nostalgie le terrassa. Les images du film défilèrent sans qu'il en retînt rien et il se prit à haïr le couple enlacé devant lui.

Des années auparavant, lorsqu'il était enfant, le premier spectacle de l'amour physique lui avait été offert brutalement dans la loge voisine de la sienne, au cinéma. Comme il entendait des plaintes étouffées, il s'était penché et avait regardé. Il reverrait toujours le visage de la fille tourné vers lui, implorant, et cette image de nudité fugitive obstruée par le dos du garçon affairé. Bien plus tard, comme il faisait lui-même l'amour, la scène devait le hanter et lui procurer une trouble jouissance.

Bauman quitta le cinéma avant la fin du film. Il compta l'argent qu'il avait en poche et entra dans une pâtisserie où il se fit servir une grosse portion de tarte au citron. Dehors, il trouva les gens le nez en l'air regardant passer un énorme jumbo-jet aussi incongru qu'un aigle royal dans le ciel de la capitale. Le temps de remonter le boulevard Saint-Michel, et il entendit de nouveau le sifflement de dragon des réacteurs.

C'est dans l'autobus en rentrant chez lui qu'il avait lu pour la première fois la publicité pour « Détresse Assistance ». Il avait noté le numéro de téléphone tandis que ses yeux tombaient sur la une d'un journal du soir qui titrait : *Un jumbo détourné au-dessus de Paris*, et au-dessous en caractères plus petits : *Le pirate n'a pu obtenir l'autorisation de se poser à Orly. L'avion n'a plus que trois heures de carburant.*

Bauman avait essayé de suivre à la radio puis à la télévision le drame qui s'était joué cet après-midi-là au-dessus de Paris, l'atterrissage du Boeing, l'assaut des gendarmes, les explosions, les morts qu'on emmenait. Mais la fatigue l'avait vite emporté sur cette angoisse venue d'ailleurs. Et il s'était laissé happer par son horreur intime, ces « forces intérieures » qui le déchiraient en petits morceaux.

Cette nuit-là, pour la première fois, il avait appelé « Détresse Assistance ».

Au mois de juin, Madeleine téléphona. Elle partait avec Jérôme « pour la montagne » — Bauman ne demanda même pas s'il s'agissait des Alpes, des Pyrénées ou du Massif Central — et lui annonça qu'elle lui avait expédié un chèque. Il n'osa pas demander : « Combien? » mais il remercia. Madeleine, qui possédait un doctorat de mathématiques, n'avait jamais cessé d'enseigner et Bauman devait reconnaître que la plupart du temps, dans leur ménage, c'est elle qui avait fait bouillir la marmite. Le chèque ne le surprit pas. En fait, il l'attendait un peu.

L'enveloppe arriva le lendemain et Bauman passa à sa banque. Avec les mille francs déposés, il pourrait tenir deux ou trois semaines en modérant sérieusement ses dépenses. Mais son moral s'effritait de plus en plus. Les longues conversations avec l'inconnu de « Détresse Assistance » les avaient lassés l'un et l'autre. Bauman se demandait parfois si le type ne dormait pas à l'autre bout du fil. Alors il s'arrêtait de parler et, après quelques secondes, la voix jetait son leitmotiv : « Oui, je vous écoute. » Ç'aurait pu tout aussi bien être un disque. La voix était jeune. Il ne lui donnait pas plus de trente ans. « Fait-il cela vraiment pour aider les gens? » se demandait Bauman. Ou encore : « Cela doit lui servir pour ses études. » Il ne parvenait pas à admettre que quelqu'un pût s'intéresser aux autres. Lui-même n'y arrivait pas. Madeleine lui avait dit un jour : « Tu as déjà trop de peine à t'occuper de toi... »

Maintenant, il savait bien qu'il ne remonterait pas la pente. Il ne cherchait même plus à capter la sympathie des autres. Il était devenu indifférent à tout. Et cela valait mieux, car plus personne ne venait le voir. L'appartement de la rue Monge était hideux, sans la voix d'une femme, sans le cri d'un enfant, avec juste, dans la nuit, le grincement inlassable d'un volet. Les jours... Et encore les nuits... De moins en moins de sommeil, de plus en plus de cauchemars.

Au mois de juin, il vit un médecin et commença à prendre des pilules. « Elles sont roses, couleur de la vie », avait dit le vieil homme. Il l'avait ausculté : « La machine est bonne... » Voilà, Bauman pouvait s'estimer heureux.

A l'agence de l'Emploi, l'homme rond n'avait toujours rien à lui proposer.

« Nous pourrions peut-être vous trouver quelque chose si vous acceptiez de voyager...

— Je suis trop malade.

— C'est ennuyeux, vraiment ennuyeux, parce que vous m'êtes sympathique. Et puis vous avez des connaissances. Comment faites-vous pour vous en tirer sans les allocations? Votre femme vous aide?

— Un peu. »

Il n'allait pas lui raconter sa vie...

« C'est gênant, bien sûr.

— Oui. »

Toujours le même échange de politesses bienveillantes. Bauman était persuadé que le type s'en foutait, mais c'était son métier. Les autres, c'était sûr, n'en faisaient pas tant. Toute la journée il était condamné à exprimer des regrets. Il n'était sans doute vraiment heureux que lorsqu'il recevait un chômeur au dossier parfait, un salarié victime d'une compression économique si possible, à qui il pouvait dire : « Votre chèque ne tardera pas... » A Bauman, il se borna à dire : « Revenez dans quinze jours, d'ici là nous aurons peut-être quelque chose, mais il ne faudra pas être trop difficile. »

Cela aussi, il l'avait dit la fois précédente et la fois d'avant...

Quand Bauman était rentré chez lui, il avait trouvé une lettre de sa mère qui se lamentait parce qu'il ne lui avait pas donné de ses nouvelles depuis six mois. Il déchira la lettre. Il n'avait pas l'intention de répondre, ni aujourd'hui ni jamais. Il ne lui ferait pas le plaisir de lui apprendre comment Madeleine l'avait plaqué. La vieille aurait été vraiment heureuse...

Penser à elle le déprimait davantage. En parler l'anéantissait. Lorsque ça lui était arrivé avec le type de « Détresse Assistance », il avait commencé par trembler et puis il avait éclaté en sanglots. Il lui avait raconté comment il la haïssait depuis l'âge de huit ans, depuis qu'elle l'avait forcé à s'agenouiller devant tout le monde pour demander pardon à un pion d'une vétille qu'il n'était même pas sûr d'avoir commise. La chair à vif, voilà ce que ça lui avait fait. Au fond, Bauman savourait cette histoire. Pour lui, c'était un jeu tragique. Il se mettait en scène avec l'air de dire : « Connaissez-vous mère plus monstrueuse ? »

Ce petit détail confié aux bandes magnétiques du S.D.E.C.E. avait beaucoup aidé Athanase :

« Voyez-vous, avait-il dit à Delaunay, il semble bien que tout l'avenir de Bauman ait été déterminé par cette scène que son inconscient n'a cessé d'améliorer. Elle lui sert d'alibi. L'attitude de sa mère l'autorise à exiger en contrepartie toute l'attention du reste du monde, sans rien donner en échange.

— Au fond, c'est un personnage assez peu intéressant, avait conclu Delaunay.

— Sans doute, mais, à sa décharge, nous pouvons avancer que sa mère ne l'était pas davantage. »

Athanase écrivit plus tard dans son journal : *Je me demande si cet alibi de Bauman ne nous servit pas d'alibi à nous-mêmes.*

Au mois de juillet, Bauman reçut un autre chèque de Madeleine, avec un petit mot : *Jérôme a de belles couleurs. Il t'embrasse et voudrait bien te voir. Pour le chèque, je suis un peu embarrassée. Je ne crois pas que je pourrai continuer. J'espère que tu sauras te débrouiller seul.*

Deux jours plus tard lui parvint une sommation d'huissier : Madeleine introduisait une instance en divorce. C'est du moins ce qu'il crut comprendre après avoir lu et relu le jargon des procédures judiciaires transcrit sur papier pelure. Il s'étonna que Madeleine ne lui en ait soufflé mot dans sa lettre. Peut-être n'avait-elle pas osé. Ou bien la procédure était engagée depuis longtemps déjà et elle le croyait au courant.

Tout à coup les événements lui échappaient. Cette demande en divorce ne cadrait pas plus avec son système moral que son licenciement par l'agence de tourisme.

Delaunay, Cavana et Athanase en avaient discuté un matin d'août juste avant les vacances. La canicule était tombée sur la capitale et les trois hommes, négligeant tout protocole, avaient ôté vestes et cravates. Athanase avait fait monter des bouteilles d'eau minérale et du thé glacé qui commençait à réchauffer dans les verres.

Les journaux parlaient de remaniement minis-
tériel à la rentrée et Athanase songeait que le
ministre ne serait peut-être plus aux affaires lorsque la phase finale de l'opération en cours serait
déclenchée. Le Président tenterait un replâtrage
pour éviter la tornade de grèves que les syndicats
annonçaient. Le Président lui-même terminait son
septennat et il n'était pas du tout sûr qu'il serait
réélu. Athanase avait réfléchi à l'absurdité de la
situation : le Président ignorait tout de l'affaire.
Si le ministre était remercié, qui porterait la responsabilité de toute l'opération? Athanase préférait ne pas répondre. Mais il sentait dans le petit
groupe une certaine anxiété et un souci de tout
lui soumettre, de tout lui faire approuver, afin
que, le moment venu, la tournée soit mise à son
compte.

Cavana se montrait plus à l'aise que les autres.
Il avait pourtant organisé l'essentiel de l'opération, trouvé le pigeon, préparé le travail des
équipes « rapprochées » de Gasser. Du travail de
bureau, bien sûr... Rien qui salisse vraiment les
mains. Il pouvait sortir apparemment propre de
cette affaire. Mais Gasser, Delaunay et Grégoire
devraient se mouiller et mouiller leurs hommes...

Alors, peu à peu, ils s'étaient fait une idée de
moins en moins flatteuse de Bauman. Ils le noir-
cissaient à plaisir. Un jour ils le trouvaient veule,
un autre paresseux. Ils poursuivaient tous le
même cheminement secret qui devait les amener
à n'éprouver aucun remords lorsque le moment
serait venu d'agir.

C'était la première règle qu'avait apprise puis

enseignée Athanase pendant la Résistance, puis pendant la guerre froide, enfin pendant l'affreuse aventure algérienne. Là, il avait été obligé de faire tuer des hommes qu'il connaissait, qu'il estimait, des hommes à qui il avait serré la main la veille, avec lesquels il avait trinqué au bistrot de la rue des Saussaies.

« Allons, lui avait dit le ministre, c'est le jeu... »

Il avait eu envie de lui hurler au visage : « Un jeu pour vous, pour votre sale politique, un jeu où il y a un mort à chaque case! C'est cela, un jeu! Mais quelle part y prenez-vous? Etiez-vous à la villa de Kouba lorsque nous l'avons fait sauter? Etiez-vous à l'hôpital d'El Biar lorsque les autres ont mitraillé les blessés à bout portant? Pour nous tous, bien sûr, la raison d'Etat prime tout. Mais qu'est-ce que votre raison d'Etat? Savez-vous ce qu'est devenu le type qui a dirigé le commando d'assassins d'El Biar? Il a fait cinq ans de prison. Après quoi il a été gracié, toujours pour raison d'Etat, parce que le gouvernement avait besoin des voix de ses amis. Mais les pauvres bougres d'El Biar? Hein? Votre raison d'Etat ne leur rendra pas la vie... Et ces pauvres types auxquels nos truands arrachaient les ongles parce qu'ils refusaient de dire où étaient les émetteurs clandestins? La raison d'Etat? Le jeu, comme vous dites... »

Il avait eu envie de crier tout cela, mais il ne l'avait jamais fait. Pas à cet homme-là en tout cas, cet homme dont il admirait la lucidité et le désenchantement... Mais il se promettait de le dire à un autre. Ça le soulagerait.

En tout cas, il comprenait mieux que les autres pourquoi il fallait charger Bauman de tous les péchés du monde.

Et il s'était reproché plus tard d'être allé au bistrot des Gobelins, à la rencontre du « monstre », parce qu'il avait trouvé là-bas ce qu'il attendait : un pauvre type désarmé pour le combat avec la vie, et c'est précisément parce qu'il était sans défense qu'on l'enverrait à l'abattoir.

Athanase but son thé tiède.

« Admirez comme tout s'ordonne par rapport à lui », dit Delaunay.

Athanase sursauta. Il avait oublié qu'on parlait encore de Bauman.

« Fréquent chez les introvertis.

— Mais il n'est pas introverti. Simplement égocentrique. Notre ami de la section « Psy » dit qu'il est incapable de concevoir quelque chose qui ne soit pas ordonné par rapport à lui. Il comprend très bien le système répressif dans la mesure où il est lui-même autorépressif. Mais toujours dans la perspective du code moral qu'on lui a inculqué.

— Cela explique pourquoi il admet le départ de Madeleine après l'aventure avec la voyageuse du car. Parce qu'au fond, dès qu'il a eu trompé sa femme, il a envisagé et même souhaité la sanction. En revanche, il ne peut pas admettre ce qu'il n'a pas lui-même imaginé, comme par exemple son renvoi de l'agence touristique ou l'instance en divorce de sa femme.

— Ainsi, dit Cavana, il reste enfermé dans un cycle perpétuel « faute-châtiment ». Autrement dit, messieurs, si Birgitt Haas couche avec lui, elle va recréer l'aventure de l'autocar...

— Et il attendra la punition », conclut Grégoire.

Grégoire, le plus vieux de l'équipe, petit homme à moustache blanche et au visage empreint de dignité, prenait rarement la parole, mais il suivait attentivement les péripéties de la conversation. Il adorait conclure. C'est d'ailleurs tout ce qu'il fit dans cette aventure :

« En somme, nous utilisons Bauman certes, mais en contrepartie nous lui rendrons service, puisque la punition est inscrite dans notre programme.

— L'idéal, bien sûr, serait qu'il tue lui-même Haas. Mais notre ami le psychologue assure que ça n'est pas envisageable avec certitude. Il n'y a, dit-il, qu'une probabilité infime. Il a noté que notre belle Allemande ressemble un peu à la femme de l'autocar. Bauman voudra certainement combler avec elle la frustration que lui avait laissée l'autre. Son remords sera double ensuite et il est possible qu'il en rende responsable Haas.

— N'y comptez pas trop, dit Athanase. Il risque plutôt d'en tomber amoureux.

— Peu importe, amour ou haine, répliqua Grégoire. L'essentiel est bien qu'elle ne lui soit pas indifférente. »

Ils se séparèrent ce jour-là, le cœur tranquille, assurés qu'ils étaient de conduire au mieux de ses désirs le destin de Bauman.

Le mois d'août tirait à sa fin lorsque Bauman

alla pointer pour la dernière fois à l'agence nationale pour l'emploi. Ç'avait été pour lui un été
infernal, non pas tant à cause de la chaleur qui
rendait les visages cireux dans les autobus mal
ventilés que de la solitude dans laquelle il vivait.
Il avait lassé les rares amis qui lui étaient restés
fidèles en leur racontant éternellement la même
histoire. Maintenant, quand il leur téléphonait,
ils prétextaient tous un dîner familial ou un
voyage en province et ceux qui n'avaient aucune
obligation vraisemblable s'inventaient des grippes
ou des petites amies à sortir...

Il avait de nouveau appelé « Détresse Assistance », mais son interlocuteur habituel était en
vacances et ça ne disait rien à Bauman de recommencer à raconter sa vie par le menu à un autre
type.

Il continuait à se bourrer de petites pilules
roses et à se promener dans une atmosphère
cotonneuse. Parfois, il avait la sensation désa-
gréable qu'il allait s'endormir debout et, comme
il n'était plus question pour lui de prendre un taxi
pour rentrer chez lui, il s'asseyait dans une encoignure de porte et somnolait un moment, insen-
sible au vacarme de la rue.

Le chèque de Madeleine n'avait pas été renou-
velé et désormais Bauman devait se contenter de
faire un repas tous les deux jours et de se nourrir
le reste du temps de pain et de sucre. Il avait
perdu plusieurs kilos lorsqu'il se présenta en titu-
bant de fatigue à l'agence pour l'emploi. Au visage
radieux de l'homme rond, il comprit qu'il y avait
du nouveau pour lui, mais il n'éprouva aucune

émotion spéciale, sinon un vertige dû au manque de nourriture et à l'épuisement nerveux. Les paroles résonnaient dans sa tête vide :

« J'ai du bon, du très bon pour vous, susurrait le fonctionnaire. Enfin, si vous acceptez de voyager... Parce que c'est une offre sérieuse... Quand je l'ai lue, je n'en croyais pas mes yeux... Comme je vous le disais, vos connaissances n'entraient dans aucun créneau... Enfin, je le croyais. Eh bien, je me trompais... »

Bauman avait hâte qu'il en finisse. Mais l'autre, trop heureux de ménager ses effets, en rajoutait :

« J'ai là une lettre d'un monsieur — il mit ses lunettes — ... Chalifert... Vous verrez. Je vous en ai fait préparer un double pour que vous puissiez étudier les propositions... Etude de marché pour l'édition allemande de l'Encyclopédie européenne... Grosse affaire. Vous voyagerez dans les principales villes. Tous frais payés dans les meilleurs hôtels. Quatre mille cinq cents francs de salaire fixe, à quoi viennent s'ajouter des indemnités confortables en cas de conclusion de l'affaire... »

Bauman passa une main tremblante sur son front et la retira mouillée de sueur. S'il ne quittait pas ce bureau tout de suite, il allait s'évanouir.

« Ça ne va pas, monsieur?

— Si, si, seulement un peu de nervosité...

— Oui, bien sûr, vous ne vous attendiez pas à une telle aubaine. Mais vos compétences, votre connaissance parfaite de l'allemand et votre culture générale correspondent au profil de l'emploi.

— Que dois-je faire?

— Eh bien, il vous suffira de téléphoner à ce monsieur — il regarda de nouveau son papier — Chalifert, son numéro est inscrit sur la lettre. Je l'ai prévenu. Il vous attend. »

Bauman remercia, prit la lettre et s'en alla. Dehors, il sortit de sa poche un de ces sucres enveloppés de papier qu'il fauchait dans les bistrots et le croqua avidement. Appuyé contre un mur, il attendit que l'effet bienfaisant du glucose arrête le tremblement de ses mains.

Il y avait un banc près de la station de l'autobus. Il put s'asseoir et lire tranquillement la lettre de Chalifert. C'était peut-être une aubaine, comme disait le type de l'agence. Dès qu'il serait de retour chez lui, il téléphonerait. Puis il irait dîner au petit restaurant des Gobelins. Il lui restait encore cent francs en poche, cent francs qui devaient lui servir à reprendre des forces. Autrement le « job » lui passerait sous le nez.

Il se précipita sur le téléphone avec une hâte qu'il ne se connaissait plus depuis des mois. Mais, avant de former le numéro qu'on lui avait donné, il se reprit et alla farfouiller dans la cuisine à la recherche de quelque nourriture. Il trouva un morceau de fromage rance dans le réfrigérateur et le mangea en faisant la grimace. Dans un placard, il dénicha encore une petite boîte de crème de marrons. L'idée de la mixture sucrée le fit saliver. Ses mains tremblantes trébuchaient sur l'ouvre-boîtes mécanique. Enfin le couvercle sauta et il plongea une cuiller à soupe dans la confiture sirupeuse, qu'il engloutit à grands coups. Quand il eut raclé minutieusement tout l'intérieur de la

108

boîte, il regagna sa chambre, tira l'appareil jusqu'à son lit et, enfin repu, allongé, la tête reposant sur un gros coussin, il décrocha le combiné. Il dut s'y prendre à deux fois pour obtenir la tonalité. Depuis quelques jours, c'était la même chose. Il entendait toute une série de déclics, il avait l'impression que la communication allait être coupée, puis il percevait enfin la voix de son correspondant, lointaine comme lorsqu'on utilise l'inter.

« Monsieur Chalifert?

— Oui... »

Bauman se nomma. L'homme n'avait pas l'air de comprendre. Il lui rappela qu'il venait de l'agence pour l'emploi. Chalifert se souvenait maintenant.

« Ah! oui, vous m'êtes envoyé par ce petit monsieur de l'agence... Très bien, très bien. Enfin, j'espère que tout ira très bien. Voulez-vous venir me voir? J'habite dans le VIIᵉ arrondissement. Rue de Babylone... Oui, enfin, ce sont nos bureaux qui sont là. »

Ils prirent rendez-vous pour le lendemain à l'heure du déjeuner. Bauman espérait que Chalifert l'inviterait. Peut-être même lui donnerait-il une avance.

Ce soir-là, au restaurant des Gobelins, il cassa son billet de cent francs et s'offrit une énorme choucroute.

« Vous vous nourrissez mal! »

Chalifert regardait Bauman dévorer son « osso

bucco ». C'était un homme dont les rides et les cheveux grisonnants indiquaient la cinquantaine largement dépassée. Ses yeux bruns étaient soulignés de poches précoces qui lui donnaient l'air d'un brave animal. Il était vêtu sans recherche et on pouvait deviner des taches de graisse dans les chevrons de sa veste de tweed usé.

Bauman n'avait pas été trompé dans ses espérances, puisque Chalifert l'avait invité à déjeuner. Ils avaient juste pris le temps de faire connaissance dans le petit bureau encombré de dossiers que Chalifert occupait au deuxième étage d'un immeuble restauré, à deux pas du cinéma « La Pagode », un des derniers monuments exotiques de la capitale.

« J'ai lu votre dossier transmis par l'agence nationale pour l'emploi, avait dit Chalifert. Cela me paraît très — il avait hésité sur l'adjectif — convenable. Mais j'imagine que nous en parlerons mieux au dessert. »

Bauman était éberlué. Tout à coup, le monde entier lui semblait plein de sollicitude à son égard. Il se demandait s'il rêvait.

Ils allèrent déjeuner dans une brasserie proche de l'église Saint-François-Xavier. Pour la première fois depuis des mois, Bauman regarda les arbres cuivrés par l'automne imminent. Et il éprouva du plaisir à consulter la carte. Chalifert avait commandé une terrine de lièvre et un chateaubriand, Bauman prit un filet de hareng et le plat du jour, ce qui lui attira la remarque de Chalifert :

« Nos sucs gastriques sont une chimie capricieuse. Chaque aliment suscite les siens. Et il n'y a aucune chance pour que ceux qui seront sécrétés pour votre poisson fumé fassent bon ménage avec ceux qui voudront se mélanger à votre veau en sauce... »

Il regarda Bauman qui, décontenancé, restait sa fourchette en suspens à mi-chemin entre sa bouche et l'assiette, puis éclata de rire :

« Ça n'est pas une raison pour vous laisser mourir de faim! Je vous disais cela simplement parce qu'une nourriture mal ordonnée conduit à la somnolence. Et, là où nous comptons vous envoyer, il ne s'agira pas de dormir lorsque vous aurez un rendez-vous. »

Ses bons yeux scrutèrent Bauman :

« D'après l'agence pour l'emploi, vous n'êtes pas en très bonne santé? »

Bauman pensa que le type de l'agence était diablement indiscret.

Chalifert fit de la main le geste d'effacer quelque chose sans importance :

« Rien de grave, je suppose. Mais, pour plus de sûreté, il sera sans doute bon que vous vous fassiez examiner. Nous prendrons bien entendu tous les frais d'examen à notre charge. »

Il prit un calepin dans sa poche, déchira un feuillet et y inscrivit un nom et une adresse...

« Puis-je vous recommander à ce médecin? Il a un laboratoire annexe à son cabinet. C'est un ami. Et cela vous évitera de perdre du temps pour les examens... »

De nouveau, un voile noir s'abattit sur Bauman. Il n'en avait donc pas fini avec les médecins. Il songea aux pilules roses et eut furieusement envie d'en prendre une. Mais il n'osa pas devant Chalifert et bientôt il fut pris de vertige. Son front et ses mains se mouillèrent de sueur. Il s'essuya avec une serviette en papier qu'il transforma vite en charpie. Pour se donner une contenance, il tenta de se verser de l'eau. Mais ce fut un mauvais calcul, car ses doigts se mirent à trembler et la moitié du liquide alla inonder la table à travers la nappe.

Bauman sentit soudain les « forces intérieures » l'anéantir. Qu'allait penser Chalifert? Et les gens autour? Une fois de plus, il avait envie de tout fiche en l'air et de se sauver, d'aller se terrer chez lui...

Chalifert ne disait rien. Il regardait Bauman avec ses yeux éternellement bienveillants.

« Vous prendrez du dessert? »

Bauman sursauta. Sa nuque lui faisait mal. Tous les muscles de son dos étaient noués, douloureux... Il balbutia :

« Du dessert? »

Et, au fond de lui-même, il pensait : « Bon sang, quelque chose qui se mange vite... »

« Une mousse au chocolat, insistait Chalifert, apparemment indifférent au malaise de Bauman. Elles sont très bonnes ici. Parfumées au Grand Marnier ou quelque chose du même genre...

— D'accord pour la mousse », murmura Bauman.

Et la saveur du chocolat pressentie par son palais agit comme un tranquillisant sur ses nerfs épuisés. Il poussa un profond soupir. Voilà, c'était fini...

Le garçon apporta les mousses et, comme l'avait promis Chalifert, on parla affaires.

« Nos encyclopédies représentent un capital important bien que nous ne pratiquions pas la vente en librairie... Nous avons travaillé en France uniquement par souscription, comme nous l'avions fait pour les pays de langue anglaise. Je ne vous cache pas que la version française est une traduction très librement adaptée. Pas question de se référer tout le temps à Shakespeare ou à Thomas Carlyle. Je vais vous faire parvenir notre abondante documentation et, pour consultation, notre édition française en vingt volumes. Le projet de la version allemande est prêt avec, bien sûr, la nécessaire adaptation dont je parlais. On y consacrera une place nettement plus importante à Gœthe, à Hegel, à Heidegger et même à Marcuse... (Il sourit.) Nous ne devons pas négliger les jeunes. Vous savez comment font les gens pour juger de la valeur d'une encyclopédie? Ils sautent tout de suite au chapitre qu'ils connaissent le mieux. S'ils y découvrent une erreur, même minime, ils en déduisent que tout le reste est à l'avenant. Alors, non seulement ils vous renvoient l'ouvrage avec une lettre sèche et pédante, mais ils racontent partout autour d'eux que l'ouvrage dans sa totalité est un recueil d'absurdités. Et voilà le travail de vingt années fichu par terre.

— Que faire? demanda Bauman.

— Ah! rien n'est facile. Le pire combat est celui que nous devons mener contre l'erreur familière, le cliché admis, comme les histoires de « mot de

Cambronne », vous voyez le genre? Mais il est beaucoup plus difficile de rédiger un article sur des événements dont il existe encore des témoins vivants. Ceux-là ne vous passeront rien. »

Pendant que Chalifert parlait, Bauman avait repéré les taches sombres dans les chevrons de sa veste et il ne parvenait pas à les quitter des yeux. Peut-être Chalifert allait-il s'en apercevoir. Ce serait affreusement gênant. L'idée troubla Bauman, qui se remit à transpirer abondamment. Décidément, Chalifert avait raison : il lui faudrait consulter un médecin. Il ne pouvait pas rester comme cela éternellement à lutter contre ses « forces intérieures ». A la fin, il serait sûrement vaincu.

« Bien sûr, poursuivait Chalifert, si vous acceptez notre proposition, je vous répète ce que l'agence a dû déjà vous dire : vous voyagerez, vous contacterez les libraires, vous vous renseignerez sur leur clientèle, spécialement sur les amateurs de dictionnaires et d'encyclopédies. Savez-vous qu'il existe des dizaines de milliers de gens dans chaque grande ville qui n'achètent que du matériel encyclopédique, jamais un roman, jamais un essai, jamais un document? Il faudra prospecter d'abord les grands centres intellectuels, Munich surtout. C'est là que nous trouverons nos premiers lecteurs... Pour les détails matériels, on vous l'a dit : quatre mille cinq cents francs de salaire fixe. Ce n'est pas beaucoup, mais pendant tous vos déplacements, outre vos frais payés dans les meilleurs hôtels, vous toucherez une prime de vingt pour cent et, quand l'édition sera en cours, une commission sur tout ce qui aura été traité d'après vos renseignements. »

Ils se quittèrent comme il était trois heures en prenant rendez-vous pour la semaine suivante. D'ici là, Chalifert lui aurait fait parvenir toute la documentation voulue. Ah! il s'excusait de ne pouvoir faire démarrer leur « collaboration » qu'à partir du 15 novembre : « Notre budget ne sera débloqué qu'à cette date. » Bauman fut tenté de demander « quel budget », mais il pensa que c'était une question stupide, en quoi il eut tort.

Quand Chalifert s'en fut retourné à son bureau, il constata amèrement qu'il avait oublié de lui demander une avance. Puis, à la réflexion, il admit qu'il n'avait pas oublié. En fait, il n'avait pas osé, il avait eu peur, comme toujours. Au fond, il n'était pas plus avancé que la veille.

Pour l'instant, son estomac était bien calé et physiquement il se sentait plutôt confortable. Il éprouvait une envie soudaine de musarder. Ses pas le conduisirent au musée Rodin, qu'il n'avait jamais visité. Cela sentait la fin de saison et des jardiniers s'affairaient autour des massifs, changeant les plants, tandis qu'une poignée de jeunes touristes, manuel en main, suivaient un vieux guide à la jambe traînante. Les garçons et les filles du groupe se poussaient du coude en riant, se moquant du vieux type, et Bauman en eut de la peine. Il se sentait lui-même très vieux. Mais pas au point de ne pas regarder les filles si différentes, les unes strictement peignées avec des chignons sagement ajustés, les autres avec des cheveux longs et fous qu'elles ramenaient inlassablement en arrière d'un mouvement de tête qui mettait en valeur toute la grâce de leur corps. Filles et garçons étaient vêtus de jeans fatigués avec des pièces et des trous un peu partout, semblables à celui que portait Bauman. Mais il se sentait tout de même un peu hors jeu à cause de ses cheveux longs. Depuis plusieurs années déjà, la mode masculine avait relancé les cheveux ras et tous les garçons avaient l'air de sortir d'un bagne militaire.

Bauman abandonna le groupe et pénétra dans le musée. Il avait en poche une vieille carte de faveur qui lui permettait d'entrer gratuitement dans certains musées. Il économisa ainsi quelques francs. Quand il fut à l'intérieur, au milieu de toutes ces sculptures lourdes de sensualité, il pensa qu'il avait encore commis une erreur : l'émotion le gagna. Il n'avait pas besoin de cela. Il réalisa alors qu'il n'avait pas eu d'activité sexuelle depuis des mois. En sortant, il croisa de nouveau les jeunes touristes et cela lui rappela la fille de l'autocar, le désir brutal, le plaisir et la honte. De nouveau il fut pris de vertige et ses jambes se dérobèrent. Le souffle court, il s'effondra sur un banc dans le jardin et de ses mains tremblantes chercha le flacon de pilules roses, celles qui « avaient les couleurs de la vie ».

Il resta là un long moment, les yeux clignotant au soleil, attendant que le médicament agisse. Généralement cela prenait une quinzaine de minutes. Mais cette fois ce fut un peu plus long, peut-être parce que le désir qu'il avait éprouvé en regardant les sculptures avait été très violent.

Quand les jeunes touristes eurent quitté le musée, Bauman fit un dernier tour dans le jardin maintenant désert à l'exception d'un homme d'une cinquantaine d'années qui semblait assoupi, les jambes croisées sur une sorte de tabouret en pierre, à quelques mètres de l'entrée.

Bauman se dirigea vers la porte et, lorsqu'il passa près de l'homme, il lui sembla l'avoir déjà vu quelque part. Cela ne le préoccupa guère, mais, comme il tournait dans le boulevard des Invalides, il crut se souvenir qu'il l'avait croisé la veille en sortant de l'agence nationale. Sans doute s'agissait-il seulement d'une ressemblance et il n'y pensa plus. Il avait bien trop à faire avec ce nouveau travail en perspective et la nécessité de tenir encore quatre ou cinq semaines. Il n'avait qu'une ressource, celle d'appeler Madeleine...

Il commença par lui dire qu'il avait trouvé un emploi. Il se sentait lâche et veule. Ce qu'il n'avait pas osé demander à Chalifert, il le demandait à sa femme... Parce qu'elle l'avait quitté, parce qu'elle lui devait bien « ça ». Oh! il ne lui présenta pas les choses de cette manière. Il fit l'embarrassé, lui qui n'éprouvait précisément aucun embarras.

« Je ne pourrai pas te donner beaucoup », dit-elle.

Puis elle parla de Jérôme. Il était à côté d'elle. Voulait-il lui parler? Et Bauman se trouva honteux de l'avoir oublié. « Tu as trop de mal à t'occuper de toi... Allons, sois franc, penses-tu jamais à ton fils? »

Il ne sut pas quoi dire au petit Jérôme, bre-

douilla des phrases conventionnelles comme :
« Ça marche à l'école? » L'enfant non plus ne
savait pas quoi dire. Pour mettre fin à cette
pénible scène, Madeleine reprit l'écouteur :

« Tu as reçu la sommation de l'huissier?

— Ah! oui... »

Il était normal qu'elle lui en parle enfin.

« Nous pourrons en reparler, dit-il. Laisse-moi
un peu de temps.

— Non, Chaffy, coupa-t-elle, on n'en reparlera
pas. Pour moi, c'est tout décidé! »

Il y avait longtemps qu'elle ne l'avait pas appelé
ainsi... Chaffy, ça lui rappelait le nom d'un char
américain... Ils avaient trouvé ça parce que son
prénom entier, Charles-Philippe, était beaucoup
trop long. Quelle idée, ce prénom! Mais était-ce
sa faute s'il était né en 1943 dans une famille
déchirée par les conflits politiques? Maman brûlait des cierges au Maréchal, tandis que papa
souhaitait confusément la victoire des Alliés.
Après discussion, on avait transigé sur le double
prénom...

Bauman n'avait pas envie de se disputer avec
Madeleine, surtout pas ce jour-là. Il avait trop
besoin de l'argent. Lâchement, il dit : « Ce sera
comme tu voudras! » mais il pensait le contraire.
Et, quand il eut raccroché, les larmes lui
emplirent les yeux et il resta un long moment à
sangloter sans trop pouvoir dire s'il pleurait sur
lui-même, sur Madeleine ou sur leur enfant. Il
n'alla pas très loin dans l'analyse de ses impulsions. Il forma frénétiquement le numéro de
« Détresse Assistance » et, ce soir-là encore, il

parla longtemps avec le nouvel inconnu. Il recommença tout. Il raconta pour la deuxième fois l'affaire de l'autocar et il prit un plaisir nouveau à se vautrer dans sa honte...

Athanase s'épongea et but une gorgée de café froid. Il fit la grimace :

« Je me demande, Cavana, si vous ne vous êtes pas fourvoyé... Et nous avec! Votre Bauman ressemble un peu trop à un héros de mélodrame. Pis, il se prend pour tel. Il risque de nous claquer entre les doigts...

— Pas si nous savons manœuvrer exactement... Nous commençons à connaître parfaitement ses réactions. Notre ami l'éditeur a bien vu comment et quand il flanchait. Toujours sur un impact émotionnel! Bauman peut être saisi de panique à la vue d'une tache sur un vêtement, d'un bouton de chemise en train de dégringoler, d'une mouche qui se balade incongrûment sur un crâne chauve, je ne sais quoi encore. Tout ce qui brise le cadre de la routine le dérange comme un ordinateur qui enregistrerait une donnée fausse. »

Cavana, penché au-dessus du bureau d'Athanase, dessinait de larges circonvolutions sur une feuille de papier.

« Ça vous aide à penser? demanda Athanase.

— Pardon? fit Cavana en levant des yeux étonnés.

— Tous ces cercles... Vous devriez y réfléchir... J'ai peut-être autant à me méfier de vous que de Bauman. »

Cavana encaissa en souriant. Avant de sortir, il se retourna :

« Ne vous en faites pas, monsieur, avec tout ce que la section « Psy » est en train de construire autour de Bauman, il ne pourra pas nous échapper...

— Vous en parlez comme s'il était le criminel. Ne vous trompez pas de cible!

— Pour nous, c'est la même chose, lança Cavana avant de refermer la porte sur lui.

— Non, grommela Athanase, ça n'est pas la même chose. Mais je vois, mon petit salaud, que tu t'arranges bien avec ta conscience, toi! »

Bauman, à présent, n'avait plus aucun espoir. Du côté de Madeleine, il ne devrait rien attendre : ni amour, ni compassion, ni argent bien sûr. Il se sentait dépouillé de tout, rejeté. Que faisait-il encore dans cette maison remplie de souvenirs qui ne le concernaient plus? Lui-même se faisait horreur avec son éternelle complaisance pour ses « forces intérieures ». Il se traîna jusqu'à la salle de bain et regarda dans la glace son visage fatigué. Il songea à l'adresse que lui avait donnée Chalifert. Il devrait aller voir ce médecin. Où avait-il fourré ce papier? Il le trouva en fouillant dans les poches de sa veste : une banale feuille d'agenda légèrement bleutée où Chalifert avait inscrit le nom et l'adresse du médecin : *Dr HAUDRY, 17, RUE MURILLO*. Le numéro de téléphone figurait plus bas en caractères nettement plus petits. Mais une chose frappa Bauman : Chalifert avait écrit

120

tout le texte en capitales d'imprimerie. L'écriture était maladroite, comme celle d'un enfant. Seul un expert aurait pu expliquer à Bauman qu'il s'agissait d'une écriture de droitier contrefaite de la main gauche et qu'avec le procédé utilisé des capitales d'imprimerie il était pratiquement impossible d'identifier l'auteur d'un manuscrit...

La chance n'est jamais tout à fait malhonnête. Elle n'est jamais totalement favorable, jamais totalement hostile. Elle vous lance des signaux ou vous jette des bouées de sauvetage sur l'océan déchaîné. A vous de voir les premiers et de saisir les secondes avant que le flot ne vous ait brisé sur les récifs.

Quand un mortel se substitue à Dieu pour écrire à sa place le destin d'un autre mortel, ce ne sont plus des signaux mais des gammes entières de clignotants qui sont censées donner l'alarme.

Mais Bauman, au point où il en était, aurait à peine sursauté si un pétard avait explosé sous ses pieds.

Il enfouit donc le papier de Chalifert dans son portefeuille après avoir noté le nom et le numéro de téléphone du docteur Haudry sur son répertoire téléphonique. Puis il appela le médecin.

« Vous venez de la part de Chalifert, fit une voix lointaine un peu voilée... Bon, bon... Voyons, répétez-moi votre nom : Bauman? Ah! oui, en effet... »

La communication était mauvaise, hachée par les déclics.

« Je vous entends très mal, dit la voix. Voulez-vous venir me voir demain matin vers huit heures trente... Soyez à jeun pour la prise de sang! »

Des castagnettes de bronze auraient dû tinter aux oreilles de Bauman. Il fut simplement étonné que le médecin procède lui-même à ce genre d'opération. Puis il se souvint que Chalifert lui avait parlé d'un laboratoire. Sans doute s'agissait-il d'une sorte de centre médical.

Il se demanda s'il lui faudrait payer les examens immédiatement. Dans ce cas, le peu d'argent que lui avait envoyé Madeleine n'y suffirait pas.

Il passa une mauvaise nuit, fut réveillé plusieurs fois par ses « forces intérieures » et ne parvint à trouver un peu de répit qu'après avoir avalé une pilule. Le lendemain, dans le métro, le ventre vide, il fut pris de nausées. Le parcours était interminable. Il lui fallut changer deux fois, à Opéra puis à Villiers. Lorsqu'il émergea enfin, quarante minutes plus tard, le front et les mains trempés de sueur, il chercha un banc pour s'asseoir, mais une brise fraîche le happa et il frissonna. A cent mètres, il devinait l'entrée de la rue Murillo, mais les « forces intérieures » lui permettraient-elles d'arriver jusque-là? C'était toujours la même sensation. Comment avait appelé cela le médecin aux pilules roses? Inhibition?

Il aurait bien pris une pilule. Mais l'autre médecin avait dit : « à jeun ».

Peut-être celui-là lui interdirait-il les pilules. Alors comment ferait-il?

Il fut tenté de tout envoyer en l'air, Haudry et Chalifert, de rebrousser chemin et de rentrer chez lui. Il avait soudain affreusement sommeil et ses jambes se dérobaient sous lui. Il regarda alentour les passants qui se hâtaient, les enfants d'une école voisine en pantalons gris et pulls bleu marine qui riaient et se filaient des bourrades. Il eut honte de sa faiblesse parce qu'il se sentait plus vulnérable que le plus petit de ces enfants. Et c'est encore ce qui l'incita à marcher, à avancer mécaniquement, les yeux fixés sur les pas difficiles qui le rapprochaient du but.

Dès qu'il fut entré dans la rue Murillo, il poussa un soupir. Son cœur battait fort, mais il était soulagé.

L'immeuble était sans âge, de pierre jaune avec des moulures néo-Renaissance comme on en voyait au début du siècle. Dans le hall d'entrée, une plaque de verre noir indiquait en lettres d'or simplement *Cabinet médical, 2e étage.*

Le docteur Haudry vint lui-même ouvrir la porte, comme il est fréquent le matin dans la plupart des cabinets médicaux, avant que le personnel assistant soit arrivé. C'était un homme de haute taille et de forte carrure au visage coloré terminé par une courte barbe grise. Il devait avoir le même âge que Chalifert et Bauman pensa qu'il s'agissait peut-être d'amis d'enfance. Quelque chose dans les gestes bienveillants du médecin et dans sa manière douce de s'exprimer lui donnait un vague air de parenté avec Chalifert.

Il auscultait comme ces vieux médecins de famille que Bauman avait connus dans son enfance. Il palpait, martelait, comptait les côtes méthodiquement, enfonçait le bout de ses doigts à l'endroit précis où la vésicule livre son secret. Bauman ne put réprimer un petit cri.

« Votre foie en a pris un coup!

— Ah!

— Oh! rien qui ne cède à un bon régime. Il faudra supprimer l'alcool et le sucre. Pas de pain, non plus... »

Il prit son stéthoscope et le promena sur la poitrine de Bauman, s'arrêtant un long moment sur la région du cœur. Il hocha la tête.

« Le cœur? demanda Bauman...

— Oh! le cœur est parfait, vous pouvez vivre jusqu'à cent ans... Mais vous avez un vieil asthme qui traîne. Pas d'essoufflements?

— Parfois!

— Ah! il faudra faire un peu de rééducation respiratoire... Voyons votre tension... »

Il s'affairait, ponctuant chaque examen, de « bon », « très bon », « bien », concluant sur un « parfait » qu'il devait lancer systématiquement même lorsqu'il auscultait un cancéreux ou un cardiaque...

« Venez par ici. »

Il entraîna Bauman jusqu'à une pièce attenante au bureau et le fit asseoir dans un fauteuil incliné. La prise de sang ne fut pas longue. Le rituel s'accomplissait, immuable : friction de coton alcoolisé sur la saignée, l'élastique qui mordait dans le gros du biceps, puis la longue aiguille qui s'enfonçait dans la veine soudain gonflée :

« Fermez votre poing... »

Bauman regarda le sang qui ruisselait dans la seringue. Il se sentait lointain de ce lieu nu imprégné de désinfectant. Il n'avait pas mal. Il était débarrassé de toute appréhension. Le sang qui coulait. Il fonctionnait.

L'élastique fut ôté, le bras replié sur une légère compresse. Bauman était assis maintenant en face du médecin installé derrière son bureau de bois teinté...

« Eh bien, je ne crois pas que les analyses révéleront quelque chose de sérieux. Vous n'êtes pas en mauvais état. »

Il n'avait pas dit « vous êtes en bon état ». Il devait être prudent, ne rien avancer qui ne puisse être contredit. Bauman sentit que le moment était venu de la confession. Le médecin allait lui demander ce qui n'allait pas et il lui faudrait raconter encore son histoire : les longs mois d'ennui et de désespoir qu'il venait de traverser. Il était fatigué. Il avait faim.

Il tenta de résumer les choses, mais il ne parvint qu'à être incohérent. Le docteur Haudry ne fut pas cruel. Il se contenta de ce que Bauman lui donnait et ne posa pas de questions.

« Bon, fit-il, le visage légèrement incliné vers son bloc sur lequel il traçait d'incompréhensibles hiéroglyphes, vous allez commencer ce traitement tout de suite. Autant vous dire la vérité : ça ne vous fera probablement aucun bien dans l'immédiat. (Il leva les yeux et sourit à Bauman.) Mais ça ne vous fera pas de mal non plus... Enfin, il n'y a pas de remède miracle... En dehors de l'aspirine, de la cortisone et des antibiotiques... Ah! oui, vos pilules contre l'angoisse... Bien sûr, bien sûr... Savez-vous que les psychiatres eux-mêmes ignorent comment cela agit? Mais ça agit... Vous pouvez doubler la dose sans inconvénient. »

Voilà, c'était fini...

« Pour vos honoraires, docteur, fit Bauman, embarrassé...

— Tuttt, tuttt, tutt... Vous m'êtes envoyé par Chalifert. Pas question d'honoraires entre nous... Pour les frais d'analyse, nous verrons plus tard. Téléphonez-moi dans deux jours. Je vous dirai si tout va bien... »

Bauman se retrouva dehors, soulagé, heureux presque... Il savait que ça ne durerait pas, mais, en attendant, il se rua vers le premier bar-tabac, s'installa près d'une baie que caressait le premier soleil d'automne et commanda du café, des croissants, du pain beurré et de la confiture d'oranges.

« Pas d'orange... Abricot ou cerise...

— Va pour l'abricot... »

Ce serait plus doux, un peu acide peut-être... Qu'importe. Son palais était déjà repu. Il allait se jeter sur la nourriture et la dévorer. Le café serait bien chaud et amer et se marierait bien avec le goût du beurre fondu. Il déjeuna ainsi deux fois, en imagination d'abord, puis goulûment quand le garçon l'eut servi.

Il resta un moment, alangui dans l'atmosphère tiède du bistrot, demanda un journal et passa une demi-heure à parcourir les pages de faits divers toutes remplies de violence et de peur. On venait d'enlever une quinzaine d'enfants et leur moniteur dans une colonie de vacances. Dans l'affaire du train piraté en Italie, les forces spéciales avaient donné l'assaut, tuant quatre terroristes et

126

cinq voyageurs. Une immense photo montrait le cadavre criblé de balles du chef des pirates. Un éditorial non signé flétrissait l'acte barbare des ravisseurs d'enfants et saluait le courage des « commandos » italiens. Le président de la République française adressait ses félicitations au chef du gouvernement italien.

Bauman, soudain ennuyé, reposa le journal : ça n'allait pas mieux. Les nouvelles étaient toujours les mêmes et leur horreur le laissait indifférent. Les « forces intérieures » qu'il devait affronter étaient autrement redoutables.

Il était dix heures lorsqu'il quitta le bistrot et dehors, sur un banc, il vit un homme vêtu de gris qui regardait dans sa direction. Mais la seconde d'après l'inconnu se levait et se dirigeait vers le parc Monceau. Bauman, encore, lui trouva une ressemblance avec un homme croisé la veille près de chez lui. Il fronça les sourcils puis haussa les épaules. Il avait assez de soucis comme cela. Il n'allait pas s'inventer de nouveaux problèmes. Qu'un type lui en rappelle un autre, c'était bien normal. Quoi! Tous les gens se ressemblaient plus ou moins... Bon, les deux types avaient un air de famille... Comme par exemple Chalifert et le médecin... Mais ça prouvait quoi? Il y avait bien sûr l'homme du musée Rodin assis sur son siège de pierre. Celui-là aussi, il lui avait semblé le connaître... Bon, bon, on verrait. Il ferait un peu plus attention en sortant de chez lui... Et, s'il voyait quelqu'un, que ferait-il? Il prendrait une pilule rose, oui, ça, il le savait, et rien d'autre.

Lorsque Bauman retourna rue Monge, le mercure avait grimpé de quelques degrés. La concierge lui apprit qu'on avait apporté pour lui un grand carton très lourd. Il s'agissait des volumes de l'encyclopédie de Chalifert. Il ouvrit les coffrets et feuilleta machinalement un des volumes qu'il avait éparpillés sur le tapis du salon. L'ouvrage était luxueux, d'un papier soyeux qui glissait sous les doigts. Il sentait l'encre fraîche et les bords des pages adhéraient encore les uns aux autres. Bauman n'avait pas fait le compte de tous les volumes, mais il espérait qu'on ne lui demanderait pas d'emporter cette bibliothèque avec lui.

Au début de l'après-midi, un autre paquet lui fut apporté avec un mot de Chalifert qui le rassura : il n'aurait qu'à étudier un recueil de documents types et un volume condensé. C'était facile, presque trop facile. Mais Chalifert ne précisait toujours pas à quelle date il devrait partir. Et, dans le petit mot explicatif, il ne faisait pas d'allusion à une avance éventuelle. Cette question d'argent tracassait Bauman. Avec un peu de restriction sur son régime alimentaire, il parviendrait peut-être à tenir une dizaine de jours. Il n'avait même pas acheté les médicaments prescrits par le docteur Haudry. Et sa provision de pilules roses diminuait.

Il décida de dormir. Mais, dans la rue, des terrassiers avaient commencé à défoncer la chaussée, et le vacarme des marteaux pneumatiques martyrisait ses tympans et allumait sous ses paupières closes des lueurs intermittentes, au rythme de son irritation. Il s'installa ainsi dans une somnolence agitée qui engendra bientôt des cauchemars répétitifs dans lesquels il ne cessait de revoir le docteur Haudry, Chalifert, Madeleine, Georges et Jérôme qui se débattait au milieu d'enfants à têtes de plumeau. Vers cinq heures, il se réveilla en sursaut, anéanti, le cœur battant furieusement et un mauvais goût dans la bouche.

Il regarda une photo de Madeleine sur la table de chevet et pleura un bon coup. Cela lui fit du bien.

Vers huit heures du soir, il descendit au restaurant des Gobelins, décidé à manger deux ou trois billets de dix francs. Après, on verrait. Il pensa qu'en prouvant sa fidélité au restaurant il parviendrait peut-être à obtenir que la patronne lui fasse crédit pour quelques jours. Encore faudrait-il qu'il ait l'audace de le lui demander.

Il n'y avait jamais beaucoup de monde dans la boîte. Les plats n'étaient pas chers et plutôt bons, mais l'établissement puait la vieillerie. Les amateurs d'antiquités pouvaient y voir fonctionner un des derniers percolateurs cylindriques de la capitale, un de ces appareils qui expédiaient à travers la salle de longs jets de vapeurs odorantes. Mais les relents de vaisselle qui montaient des cuisines l'emportaient. Et ne subsistait bientôt qu'une âcreté de javel qui vous rendait insipide le meilleur des bœufs mironton.

Encore une fois, Bauman avait fait un mauvais calcul. Tout son repas fut gâché par la peur qu'il éprouvait de demander crédit à la patronne. Bon Dieu, il avait tout perdu : son travail, sa femme, son fils, ses amis. Et maintenant il allait crever de faim comme cela, aussi facilement, parce qu'il ne savait pas demander.

Il pensa à tous les garçons de son âge qui, en mal d'emploi, pouvaient tout de même aller manger chez leurs parents. Il y avait toujours un couvert pour eux. Lui n'avait jamais songé à demander quoi que ce soit à sa mère. Quand le père était mort, elle ne s'était jamais inquiétée du sort de son fils. Pas même une carte pour Noël. Pas un cadeau pour le petit-fils. Rien. Bauman aurait préféré crever que de lui demander un sou. « Vieille sorcière », murmura-t-il. Il la haïssait. C'était même le seul sentiment dont il eût la certitude. Sûr, elle avait tué le père, à force de mesquinerie, de geignements... Toujours à reprocher leur bonheur aux gens. Elle n'était heureuse que du malheur des autres. Aussi, quand tout avait commencé d'aller mal pour lui, Bauman s'était bien gardé de l'en avertir. Il ne voulait pas lui faire ce plaisir.

Quand il pensait à elle, des larmes de rage lui montaient aux yeux. Ses mains se mettaient à trembler.

Il resta donc là, immobile, le visage enfoui dans ses mains, sans toucher à la salade de lentilles qu'on lui avait servie. Et c'est à ce moment que le type de la table voisine lui tendit un verre de vin en baragouinant une phrase sentencieuse. Bauman ne l'avait même pas remarqué. Il but le contenu du verre d'un coup sans regarder l'homme et le vin lui parut très bon. Il était comme sous l'effet d'un choc, après un étourdissement. Et il se sentit un peu bête avec les larmes pas séchées qui mouillaient ses joues.

Maintenant qu'il l'avait remercié, il n'osait plus

lever les yeux vers l'inconnu. Et l'homme ne paraissait pas vouloir engager la conversation. C'était mieux ainsi. Bauman n'avait plus envie de raconter sa vie. Et qu'aurait-il pu dire pour s'excuser? Qu'il ne pleurait pas de chagrin mais de rage? Allons, bientôt il aurait du travail et d'autres soucis...

Il demanda son addition et la signa. Il était parvenu à un accord avec la patronne. Il paierait chaque semaine. De son côté, il était décidé à ne pas engager de dépenses trop importantes avant que Chalifert ne lui ait consenti une avance...

A côté, l'inconnu réglait lui aussi sa note. Bauman le laissa partir le premier. Pendant quelques secondes, le temps que l'homme ait atteint la porte, il put voir de dos sa haute et large silhouette, sa tête massive et ses cheveux épais et gris.

Lorsqu'il sortit quelques minutes plus tard, l'air était devenu très frais et de gros nuages couraient à travers le ciel qu'éclairait la pleine lune. Comme il remontait vers la rue Monge, il se heurta à un barrage de police. De nombreux cars grillagés étaient garés à tous les carrefours et un gendarme casqué et muni d'un bouclier lui interdit l'accès de la rue.

« Mais j'habite là, protesta Bauman.

— Vous avez des papiers? »

C'était une chance qu'il y figure la bonne adresse... Autrement, il aurait fini au dépôt pour la rituelle « vérification d'identité »... Le gendarme le laissa passer. Bauman ne songea même pas à lui demander à quoi rimait ce déploiement de forces. Il avait l'habitude depuis quinze ans qu'il vivait dans le quartier.

Bauman enviait secrètement ces jeunes gens tumultueux qui se ruaient sur les policiers, affrontaient les matraques et les crosses renforcées de métal. En quinze ans, il en avait vu des crânes ouverts, des visages défoncés avec une bouillie sanglante à l'emplacement où jadis il y avait peut-être eu un joli nez : filles et garçons avaient droit au même traitement. Bien sûr, ils s'étaient mieux organisés avec le temps, ils avaient mis des casques, puis, comme les policiers, des masques en plexiglas. Mais le service d'ordre s'était également durci. Il n'utilisait plus comme dans le passé des grenades lacrymogènes qui font seulement pleurer ni des grenades au chlore qui brûlent les bronches et tuent à retardement les asthmatiques. Ils lançaient maintenant des sortes de bombes soufflantes qui jetaient les gens à terre. Tant pis pour ceux qui dans leur trajectoire rencontraient l'arête tranchante d'un trottoir. Tant pis pour les cardiaques. Mais les jeunes restaient indifférents. Ils avaient toujours le même courage, la même inconscience peut-être. Oui, ce devait être de l'inconscience. Bauman ne les comprenait pas : comment n'avaient-ils pas peur ? Comment restaient-ils insensibles à la souffrance ? Quel était le désespoir qui les poussait ? Ou quel idéal ?

Bauman se sentait affreusement misérable devant eux, affreusement lâche... Il n'avait pas besoin de policiers et de matraques pour mourir de frousse. « Au fond, se dit-il, si tout le monde avait autant peur que moi, que se passerait-il ?

N'y aurait-il plus du tout de police, ou bien au contraire la police serait-elle encore plus terrible? »

C'est une question qui le tracassait souvent... Mais il n'était pas assez intelligent pour y répondre.

Lorsqu'il rentra chez lui, la pluie commençait à tomber et l'averse fit bientôt un vacarme épouvantable sur les toits des cars de gendarmerie. Il s'enferma soigneusement pour tenter de dormir à l'abri de tout ce tintamarre.

Bauman continua à crever de faim pendant une quinzaine de jours. Il revit Chalifert, il revit le docteur Haudry, il revit aussi Athanase et mangea sur son compte au bistrot des Gobelins. Il trouva que tous ces messieurs étaient bien gentils avec lui et que les choses allaient plutôt mieux. Il pensa un peu moins à Madeleine, un peu plus à ce nouveau travail qu'on lui avait apporté sur un plateau et il ne songea qu'à remercier la Providence.

Au début de la première quinzaine de novembre Chalifert lui expédia un chèque de deux mille francs à titre d'avance et Bauman s'acheta les drogues prescrites par le médecin à la barbe grise. Il les prit et au bout de trois jours commença à souffrir de troubles qui l'affolèrent. Chaque fois qu'il changeait de position, le monde chavirait autour de lui et il manquait s'évanouir. Il téléphona au docteur, qui le rassura :

« Ce sont les effets secondaires de l'antidépresseur que je vous ai prescrit. Cela durera une ou deux semaines encore. Reposez-vous un jour ou deux. Mais surtout n'arrêtez pas le traitement. Il n'agira qu'au bout d'une dizaine de jours. Doublez la dose d'heptamyl pour compenser l'effet hypotenseur des pilules... »

Bauman pesta intérieurement contre tous ces médecins qui vous flanquent des ordonnances longues de deux pages, mais oublient de vous expliquer comment les médicaments vont agir.

Il resta couché deux jours et dormit beaucoup, ce qui ne lui était plus arrivé depuis des mois. Les cauchemars s'étaient dissipés et il recommença à oublier ses rêves. Bientôt il trouva que la vie avait du bon et c'est le moment que choisit Chalifert pour l'appeler et lui dire que tout s'arrangeait au mieux, que la « campagne d'étude » avait été approuvée et que son départ vers l'Allemagne était envisagé pour la deuxième semaine de décembre.

Il ouvrit grandes ses fenêtres et se pencha sur la rue sans ressentir cette agression violente du bruit qui le rejetait jadis vers la sombre et illusoire quiétude de sa chambre. « Vous regarderez la vie avec des yeux neufs », lui avait dit le médecin. Et c'est bien ce qu'il ressentait. Une joie insolite le gagnait. Il avait de nouveau envie de sortir, de rencontrer des gens. Il téléphona à Haudry pour lui dire sa gratitude.

« Parfait, parfait, dit le docteur... J'en profite pour vous dire que vos analyses sont excellentes... Ah! une chose très importante : n'arrêtez pas le traitement... Combien de temps? Oh! plusieurs semaines, parfois plusieurs mois, je vous envoie une ordonnance... Vous allez voyager? Ah! mais c'est parfait : il vous faut de l'activité! »

Une vie nouvelle, soupira Bauman. Est-ce que c'était vraiment possible?

Athanase sourit en reposant l'écouteur téléphonique. Qu'est-ce que ce bon Haudry était allé inventer là? Un traitement de plusieurs mois? Quelques semaines suffiraient... Mais il était toujours stupéfait par les miracles qu'opérait cet excellent médecin. Il était probablement incompétent pour tout ce qui relevait de la médecine générale, c'est-à-dire qu'il aurait été incapable d'un sérieux diagnostic, et même de traiter correctement une grippe ou un eczéma, mais il s'entendait parfaitement à ce qu'Athanase appelait le « rafistolage ». Dans ce domaine, ses compétences étaient sans limite. Chirurgien habile, il était le spécialiste des « cicatrices invisibles ». Mais il avait des connaissances étendues en neuro-psychiatrie et les amis soviétiques d'Athanase auraient enragé s'ils avaient appris dans quelles circonstances saugrenues Haudry, par un dosage subtil de drogues, avait réussi à provoquer une dépression chez un de leurs agents et à favoriser ainsi son « retournement » par les services français. Oui, Haudry en aurait appris aux « psychiatres soviétiques ».

Mais il avait eu le malheur, dans son jeune âge et à une époque où l'« interruption de grossesse » n'était pas encore légale, de rendre service à quelques jeunes femmes. Le conseil de l'Ordre l'avait donc radié et, comme il était réduit à la misère, un homme d'Athanase l'avait récupéré. Bien sûr, il ne s'appelait pas Haudry et ne figurait à l'annuaire ni sous ce nom ni sous aucun autre. Le « cabinet » de la rue Murillo était un des nombreux appartements que les services d'Athanase possédaient à travers Paris. Au bureau « spécial », on le désignait familièrement sous le nom de « ministère de la Santé ». Il existait aussi dans différents quartiers de la capitale un « ministère du Travail », chargé de l'embauche des « traitants » et des « sous-traitants », un « ministère de l'Education », pour la formation du personnel, un « ministère des Affaires étrangères », pour les opérations extérieures au territoire, un « ministère de l'Information » qui manipulait un certain nombre de journalistes et de correspondants étrangers et un « ministère de la Justice », sorte de tribunal intérieur, dont les sentences étaient immédiatement exécutoires.

C'était le gouvernement secret d'Athanase, par quoi il étendait son pouvoir clandestin au-delà du pouvoir légal, mais avec sa complicité. Tout lui était permis. Il était au-dessus des morales et des lois « pour l'intérêt supérieur de l'Etat et le succès des armes de la France ».

Le ministre lui avait dit avec une pointe de sarcasme :

« Vous défendez la face pourrie du drapeau, mais c'est tout de même le drapeau ! »

Et Athanase n'avait pas ri lorsque le vieil homme lui avait lancé :

« Que ferions-nous si vous n'aviez à ce point le sens de l'honneur?

— Pourtant, que de reniements!

— Allons, allons, il n'y a guère que les militaires et les « mafiosi » pour croire que l'honneur a quelque chose à voir avec la parole donnée... »

Alors lui étaient revenus à l'esprit l'épisode des « soldats perdus » et toute cette mascarade de procès où l'on jugeait des enfants... Des enfants qui parfois avaient dépassé largement la cinquantaine...

« Je n'éprouve ni fierté ni honte de ce que j'ai pu faire. Il fallait le faire, c'est tout!

— Vous me déconcertez, Athanase, presque autant que Malraux!

— Oh! Malraux avait le beau rôle! Il était le chantre. Je ne suis qu'un sicaire. Ses aventures étaient toujours avouables, les nôtres s'accommodent mieux des ténèbres. »

Ils échangeaient ces propos, douloureux à l'un et à l'autre, vers la fin de cet automne où le monde tremblait de nouveau sur ses bases. Ils se promenaient lentement, faisant craquer sous leurs pas les feuilles mortes du jardin séculaire qui avait connu d'autres ministres et d'autres sicaires sans que rien vienne vraiment changer le cycle des saisons. La nature passait, indifférente.

Athanase était de plus en plus las de cette affaire. Tout fonctionnait trop bien. Mais il ne pouvait s'empêcher de songer que sur une piste savonneuse on glisse aussi tout droit et qu'on atterrit dans les gradins en faisant pas mal de dégâts. Les repas aux Gobelins l'avaient convaincu de la parfaite inconscience de Bauman, de son indifférence au monde extérieur. Il appréhendait le jour où les drogues d'Haudry réveilleraient le dormeur. « Il croira être éveillé, avait assuré le médecin, mais il continuera de rêver... Seulement voilà, au lieu d'un rêve malheureux, ce sera un rêve heureux. Que croyez-vous qu'est la psychiatrie moderne? »

La version heureuse de Bauman était donc en route vers son destin. Et Athanase le déplorait autant qu'il avait déploré cent autres incidents de sa lugubre carrière. Le mot « incident » était la forme pudique qu'il donnait au remords.

Il se souvenait de la phrase du ministre : « Comment vous arrangez-vous avec votre conscience? » et de sa réponse : « Je ne m'arrange pas. »

Bauman était donc arrivé heureux au bistrot des Gobelins en lançant un triomphal :

« Ce soir, c'est moi qui régale!

— Vous avez fait fortune? avait demandé Athanase.

— Oui, et laissez-moi vous inviter... Vraiment, j'ai été très gêné de votre gentillesse... »

Athanase avait balayé l'air de sa main comme pour dire que cela n'avait aucune importance. Mais il avait accepté l'invitation. La patronne avait sorti son meilleur vin, un « château quelque chose » qui devait être aussi factice que le personnage joué par Athanase. Au dessert, on leur avait proposé un sabayon flambé qu'ils avaient accueilli avec joie. Ils avaient regardé vaciller les flammes et Athanase avait offert les cigares, des

Davidoff qu'on lui apportait en contrebande. C'était ridicule, mais il proposa aussi un alcool.

Ce fut leur dernière rencontre. Leur avant-dernière, en vérité, car, lors de la dernière, Bauman était mort.

Dans un des vastes satellites d'attente de l'aéroport de Roissy-Charles-de-Gaulle, Bauman regardait la pluie dévaler silencieusement sur les larges baies éclairées par la lumière sulfureuse des pistes. La voix confidentielle d'une hôtesse venait de susurrer quelque chose à propos d'un nouveau retard du vol Air France pour Munich. Il y avait maintenant deux heures qu'il attendait et il avait eu le temps de faire les mots croisés des journaux du soir. Au comptoir d'enregistrement, on lui avait expliqué que le Boeing qu'il devait prendre arrivait de Milan et que, là-bas, les conditions atmosphériques avaient retardé le décollage. Il se demandait ce qui pouvait bien se passer à Milan. Il ne venait jamais que des ennuis de cet aérodrome dont il semblait qu'on ne pouvait jamais décoller et où l'on ne pouvait jamais se poser non plus.

Bauman, pour la première fois depuis des mois, était tout de même dans un état proche de l'euphorie. Les drogues du bon docteur Haudry avaient été efficaces. Et puis la satisfaction d'avoir en poche quelques milliers de francs suffisait pour l'instant à son bonheur. Il avait téléphoné à Madeleine et elle avait eu l'air heureuse. C'était l'impression qu'elle avait voulu lui donner, mais il avait pensé qu'elle se foutait bien de lui. Il avait parlé à Jérôme et une fois de plus il s'était trouvé dans l'embarras, ne sachant quoi lui dire. « Tu vas monter dans un avion avec plein de réacteurs qui font pffuit? » avait demandé l'enfant. « Oui; si j'en trouve un petit à ta taille, je te le rapporterai. » La conversation s'était terminée par les recommandations : « ... être bien sage..., obéir à maman... » « Bon Dieu, s'était-il dit, je n'aurai donc jamais rien à raconter à mon fils! » Il enviait ces pères qui parlent un langage poétique à leurs enfants émerveillés, qui jouent avec eux à cache-cache dans les bois, ne paraissent jamais à bout de souffle et le soir, à la veillée, inventent pour eux des contes fantastiques. Quand il faisait le bilan de son comportement comme mari et comme père, il se retrouvait au pied d'une montagne de honte.

Et il n'était pas assez stupide pour croire que la vague d'optimisme qui naissait en lui depuis une semaine avait une autre origine que les drogues.

Il avait revu Chalifert deux jours plus tôt et relevé la même tache dans les chevrons de sa veste. Mais il n'en avait ressenti aucune émotion cette fois. L'éditeur l'avait complimenté sur sa bonne mine :

« Haudry a fait des miracles.

— Pas Haudry, mais sa pharmacie! »

Chalifert avait ri. Bauman aussi.

« Vous voyez que vous allez mieux, avait lancé Chalifert, mieux que moi en tout cas... »

Et il avait exhibé sa main droite bandée :

« Le vieux truc de l'ouvre-boîtes qui dérape et vous entame la viande... »

Puis il avait entraîné Bauman vers un restaurant de la rue de Bourgogne beaucoup plus intime que la brasserie de Saint-François-Xavier où ils avaient déjeuné lors de leur première rencontre. Chalifert avait commandé une pièce de bœuf énorme qu'on lui avait apportée sur un plateau de bois avec un couteau spécial à manche d'ébène et pourvu d'une lame pointue, affûté comme un couteau de boucherie.

Montrant des yeux sa main bandée, Chalifert avait demandé d'un air gêné si Bauman aurait l'amabilité de lui découper son steak.

Bauman avait souri en tailladant la viande :

« C'est une arme meurtrière! »

Chalifert avait seulement hoché la tête, gêné de se trouver dans la situation du petit garçon maladroit et de la supériorité soudaine dont Bauman s'était investi. Ils avaient mangé en silence et au dessert ils avaient fumé tranquillement des havanes tandis que Chalifert remettait à son nouveau représentant son billet d'avion pour Munich où il devait commencer sa prospection, une enveloppe contenant des marks et des francs, un « vaucher » pour l'hôtel « Bayerischerhof » où une chambre avait été retenue pour lui et une liste de libraires à visiter.

Bauman avait aussi demandé à quel numéro de téléphone il pourrait joindre Chalifert. L'éditeur avait éludé la question :

« Vous n'aurez pas besoin de m'appeler. Notre correspondant en Allemagne vous joindra à votre hôtel dès votre arrivée. Il s'appelle Horst Weidman. C'est à lui que vous devrez faire vos rapports... Ah! un détail, il est assez maniaque et, comme il ne dispose pas d'un bureau à Munich, il vous donnera probablement rendez-vous dans des halls d'hôtel ou des brasseries. C'est sa manie... »

Chalifert avait eu l'air un peu gêné :

« Je le soupçonne d'avoir un faible pour la boisson, mais nous n'avons jamais eu à nous plaindre de lui. Vous pouvez lui faire totalement confiance. Il réglera vos problèmes d'argent si vous en avez et c'est lui qui vous indiquera dans quelles villes vous devrez vous rendre après Munich. »

Au moment de quitter le restaurant, alors qu'ils se trouvaient déjà sur le trottoir, Chalifert s'était frappé le front de sa main valide :

« Excusez-moi un instant... Je crains bien d'avoir laissé mon coupe-cigare sur la table! »

Bien sûr, le coupe-cigare n'était qu'un prétexte, mais Bauman n'avait aucune raison de l'imaginer.

Chalifert agissait prestement. Lorsqu'il était parvenu à la table, il tenait une enveloppe longue et étroite. D'un geste rapide, alors qu'il masquait la table de son dos, il avait pris délicatement le couteau à viande de sa main bandée et l'avait glissé dans l'enveloppe qu'il avait fait disparaître dans la poche intérieure de son trenchcoat.

Il était sorti en faisant sauter dans sa main valide le coupe-cigare en or :

« Une pièce rare que je tiens de mon grand-père! »

Puis, comme de grosses gouttes de pluie tombaient d'un ciel noir et bas, les deux hommes s'étaient séparés en hâte.

Depuis, le baromètre n'avait cessé de dégringoler et la capitale ruisselait d'eaux terreuses qui transformaient les trottoirs et les caniveaux en rigoles malpropres. Il y avait eu quelques rémissions nocturnes, mais le gel avait alors transformé les chaussées en patinoires. Ce qui restait de feuilles sur les arbres formait maintenant un humus en décomposition sur les pelouses des jardins et, dans le quartier des grands boulevards, les acacias dressaient leurs squelettes inquiétants et tendaient vers le ciel noir des branches recroquevillées comme des mains désespérées. Paris était entré en hiver sans attendre la fin de l'automne.

La pluie continuait à dévaler sur les vitres de l'aérogare et la nuit était complètement tombée lorsque la voix toujours confidentielle de l'hôtesse annonça l'embarquement immédiat pour Munich.

Les voyageurs furent d'abord priés de descendre sur la piste pour identifier leurs bagages de cale. Au fur et à mesure que les passagers désignaient leurs valises, les employés de l'aéroport qu'encadraient des gardes armés les plaçaient sur un chariot. De cette manière les autorités étaient au moins sûres qu'il n'y aurait pas de bombe dans la soute, à moins bien sûr qu'un terroriste ne se résigne à sauter avec. Mais, en cette période où se multipliaient les opérations de kamikazes, la précaution ne rassurait que médiocrement les habitués de lignes aériennes.

Ce soir-là, comme l'opération d'identification s'était déroulée sous l'averse, les passagers avaient eu droit en prime à la douche et, malgré les boissons chaudes qui leur furent servies à bord, c'est en éternuant qu'ils débarquèrent à Munich une heure plus tard.

Il neigeait sur l'aéroport de Riem et cela ne fit qu'aggraver les choses. Si Athanase avait rencontré Bauman ce soir-là, il ne se fût pas mépris sur l'origine de ses reniflements. Cette fois, il s'agissait bien d'un rhume.

III

ON FAIT DONNER LA CHASSE...

« *Fräulein, achtung...!* »

La fille se retourna avec de la stupeur dans les yeux. Puis elle regarda le gigantesque sapin vacillant qu'une dizaine d'hommes s'affairaient à planter dans une excavation devant la façade néo-gothique de l'hôtel de ville, sur la Marienplatz. Elle leur sourit et, dans le mouvement de tête qu'elle fit pour voir la cime lointaine de l'arbre, une nuée de flocons l'aveugla. Les hommes rirent bruyamment. La fille essuya la neige qui lui mouillait le visage et remonta son capuchon. Puis elle s'en fut en courant vers la plus proche bouche de métro.

Pendant un moment, elle s'était crue démasquée. Pourtant, cela faisait des mois qu'on avait cessé de placarder sa photo sur les murs de la R.F.A. Et tout le monde semblait l'avoir oubliée. Sauf la presse, qui continuait à la salir et à l'insulter. Elle lui avait collé sur le dos les pires choses, celles qu'elle avait commises et aussi celles dont elle était innocente. « Mais, lui avait dit son avocat, à ce degré de compromission, tu n'es plus innocente de rien! Ils te croient capable de tout, donc coupable de tout! Ça leur est tellement plus facile. Et toi, tu ne peux plus rien prouver. Moi non plus. Comme mon rôle est de croire à ton innocence « sur tout », je suis moi-même devenu suspect. »

C'était un vieil homme d'avocat qu'elle avait eu jadis comme professeur de droit et qui avait accepté de prendre sa défense lorsqu'elle était emprisonnée à Moabit. Et, après son évasion, ils l'avaient arrêté et emprisonné comme complice. Le vieil homme était usé par les années qu'il avait passées à Dachau pendant la Seconde Guerre mondiale et il n'avait pas pu supporter ce nouvel emprisonnement. Il était mort au printemps dernier. Comme on mourait beaucoup à cette époque dans les prisons allemandes la gauche avait dénoncé ce nouveau « crime de l'Etat fasciste », mais la presse de droite toute-puissante avait conclu à une mort naturelle (en prison, une mort est toujours naturelle, n'est-ce pas!). La fille connaissait le vrai coupable : le chagrin. Le cœur de l'avocat ne lui avait pas résisté. « Je te vengerai, vieil homme », avait juré la fille.

Son cœur à elle, maintenant, n'était plus qu'un bloc de haine. Quand, des années avant, il y avait eu cette épidémie de « suicides » dans les prisons, elle ne s'était guère apitoyée sur le sort des disparus. Elle ne les aimait pas et elle n'aimait pas non plus la manière dont ils lui avaient dit un jour : « Ta révolution est trop personnelle... » Alors, maintenant qu'ils étaient morts, elle trouvait cela bien triste, sans plus. Elle avait eu sa propre bande... Des garçons et des filles qui s'étaient lancés dans la bagarre et qui, pour la plupart, étaient morts les armes à la main, face aux chiens des commandos de la garde frontière.

Elle avait compris que la haine est une mécanique compliquée pour un être dont la culture a été construite autour d'un amour idéalisé. La haine doit se nourrir d'une manière permanente. Kahled, le Palestinien, lui avait appris cela :

« Chaque matin, chaque soir, tu te recueilles dans ta haine, comme d'autres font leurs prières... Toute autre émotion doit te rester étrangère.

— Mais il y a les enfants, avait-elle protesté, les enfants sont innocents. »

Kahled avait souri :

« Crois-tu que les pilotes américains se posaient la question lorsqu'ils balançaient leur napalm sur les villages viets? Et la bombe d'Hiroshima? Tu crois qu'elle a fait le partage entre les coupables et les innocents? Les enfants et les adultes? Après tout, ça n'est pas ma religion mais la tienne qui parle de « péché originel ». Tous coupables, non? Le monde nous accable parce que nous faisons en petit et sur des cibles individualisées ce que les Etats-Unis font en gros... Bien à l'abri de leurs lois merdeuses. Ils se retranchent derrière Jésus. Si nous avions des chars et des canons, ils trouveraient que nous sommes des partenaires possibles. Mais avec nos Kalachnikov, nos Katiouchka et nos grenades nous les indignons. Ils n'ont accepté de discuter au Vietnam que lorsqu'ils se sont trouvés en face d'une armée, une armée populaire peut-être, mais une armée tout de même.

— Mais nous n'aurons pas cette armée, ja-mais..., avait-elle protesté.

— Vous peut-être... Mais nous, en Palestine, nous avons une chance... Parce que ceux que nous défendons sont dans la misère... Vous, c'est autre chose... Je vais être franc avec toi. Malgré tous les sacrifices des vôtres, malgré vos morts, malgré vos philosophes en pantoufles, vos Marcuse et vos Adorno, vous ne parviendrez jamais à retourner votre peuple, parce qu'il est habillé, logé, nourri et bien nourri. La Révolution, c'est pour manger, ma petite, pas pour se faire jouir. Allez, tchao! »

Et il était parti avec un grand rire.

Kahled était mort quelques mois plus tard, le ventre déchiré par une rafale dans la banlieue de Beyrouth. Il était resté fidèle à ses principes. Jusqu'au bout, allongé sur la civière que portaient ses ennemis, il avait gaspillé ses dernières forces à leur crier des injures et à prophétiser leur défaite. Les soldats libanais qui le transportaient n'avaient jamais vu ou entendu quelque chose de pareil. Le blessé avait les tripes répandues sur le corps et pourtant il avait réussi à se redresser en s'appuyant sur les coudes. Le caporal qui devait rendre compte de l'engagement raconta qu'il était mort au milieu d'une phrase, comme foudroyé. Lorsqu'un journaliste lui demanda s'il se souvenait de cette dernière phrase, le jeune soldat dit qu'il avait seulement saisi quelque chose comme *our Deliett*. C'était un journaliste

148

anglais et tout naturellement il traduisit *Deliett* par *daily hate*, donnant sa signification à l'ultime prière de Kahled : « Donnez-nous notre haine quotidienne! »

La fille était encore bien jeune. Mais elle avait voulu prendre Kahled en faute, briser la carapace. Elle avait fait l'amour avec lui et elle avait été surprise de trouver tant de douceur dans ses gestes. A la fin, le sentant affaibli et à merci, elle lui avait demandé : « Moi aussi, tu me hais? »

Il s'était penché hors du lit, avait saisi sous son paquet de vêtements une sorte de manche de corne noire dont il avait fait jaillir une lame finement affûtée et en avait posé le fil tranchant et froid sur le sein de la fille : « Tu es peut-être la plus gentille Fräulein avec laquelle j'aie couché, mais je t'égorgerais tout de suite si ça pouvait servir la cause! »

Elle avait eu peur de son regard sombre. Puis il avait souri : « Allez, va, laisse tomber tout ça, Fräulein, c'est pas pour toi! »

Il y avait bien longtemps de cela. Et Kahled était mort avant d'avoir pu lire les affiches placardées dans toutes les villes d'Allemagne avec le portrait et le nom de la fille : Birgitt Haas, et au-dessous le nombre respectable de marks offerts pour sa capture. L'affiche était conçue comme une publicité de cinéma avec le nom et la photo de la vedette au-dessus du titre et plus bas, en petit, les photos d'une douzaine de comparses : les seconds rôles!

Kahled avait eu tort de croire que la fille ne pouvait pas haïr. Elle n'avait pas eu besoin de se fabriquer un idéal ou une cause pour cela. Le mal était en elle depuis l'adolescence.

Maintenant, elle se sentait vieille et fatiguée, mais la haine était toujours là qui lui donnait encore la force de vivre et de se battre.

Elle avait vu ses camarades tomber les uns après les autres, tués, pendus, poignardés. Et elle s'était un jour trouvée tout au sommet de l'organisation avec une poignée de « desperados » clairsemés à travers l'Europe, qui se lançaient sur son ordre dans des opérations dont ils n'avaient probablement aucune chance de réchapper. Ils étaient fidèles. Ils obéissaient jusqu'au bout. Elle leur avait dit : « Faites le plus de mal possible avant de mourir, ils ne comprennent que cela. » Les gouvernements avaient lancé la chasse : « Tuez-les comme des chiens! » Alors le Vieux Monde était devenu un enfer. Ils n'étaient pas nombreux, mais on ignorait quand et où ils frapperaient. Toutes les précautions prises, les fouilles, les ruses ne brisaient pas l'angoisse qui s'était abattue sur les pays heureux. « Frappez où vous pouvez, comme vous pouvez! » Il y en avait eu, des bombes, des assassinats, des morts. Leur plus beau coup : un avion abattu en vol par une fusée radio-guidée. Chaque fois qu'un des leurs était pris ou tué, un ministre, un patron, un ambassadeur était pris et tué...

Cela avait duré des mois, et la prime sous sa photo était montée, et ses fidèles étaient morts, mais pour un soldat de son armée qui tombait un autre venait prendre la relève, un garçon ou une fille avec une haine neuve et fraîche.

Birgitt descendit par les longs escaliers roulants qui s'enfoncent profondément sous la Marien-platz. La neige fondait sur les vêtements des voyageurs, répandant une odeur de laine mouillée. Il était un peu plus de quatre heures et les rames s'emplissaient à la sortie des bureaux. Birgitt prit le quai de l'U-Bahn et monta dans le premier train en direction de Kieferngarten. Elle se trouva coincée entre deux Français, un rondouillard à lunettes coiffé d'un chapeau de pluie noir fripé et un petit homme mince à la barbe grise, qui ne cessèrent de la reluquer en échangeant des banalités :

« Mon cher, disait le gros, les Munichoises sont les plus belles filles du monde... »

En d'autres temps, Birgitt leur eût rivé le clou en répliquant qu'elle était berlinoise. Mais elle était plutôt satisfaite de se retrouver fondue dans l'anonymat de cette ville immense. Avec sa coiffure brune bien coupée, son visage proprement maquillé et ses vêtements de loden vert, elle passait inaperçue. Et elle ne risquait guère de faire de fâcheuses rencontres, car elle ne connaissait personne.

« Vous avez vu la liste des call-girls dans les petites annonces des journaux, poursuivait le barbu... Il y en a des centaines. Ils appellent cela pudiquement des « hostessen ». Figurez-vous que j'ai voulu vérifier, parce que je croyais naïvement qu'il s'agissait de jeunes personnes qui vous faisaient visiter la ville. Alors j'ai téléphoné... »

Birgitt ne sut jamais ce que la conversation téléphonique avait donné, car la rame venait d'atteindre l'embranchement de Münchener Freiheit où elle descendait. Mais, si le barbu visitait maintenant Munich en compagnie du petit gros à lunettes, c'est que l'hôtesse n'était pas intéressée par le tourisme.

Quand Birgitt émergea de terre, une bourrasque glacée balayait la Leopoldstrasse. Elle traversa la grande chaussée, son capuchon rabattu sur les yeux pour se protéger des flocons chargés d'eau qui tombaient brutalement à l'oblique, et gagna en courant Occamstrasse, où elle entra essoufflée dans un de ces pubs qui donnent au quartier étudiant de Schwabing un petit air de Chelsea.

Birgitt regarda sa montre : elle avait un quart d'heure d'avance. Elle s'installa à une table près du comptoir et commanda un thé. Au garçon, elle se présenta sous le nom de Monica Weiss et dit qu'elle attendait une communication téléphonique. C'est ainsi qu'elle donnait et recevait ses rendez-vous, en prenant soin de changer chaque fois d'établissement. Elle avait dans sa tête un véritable réseau de bars, de brasseries et de salons de thé qui étaient devenus ainsi ses lieux de travail et de plaisir. Mais elle ne mélangeait jamais sa vie clandestine avec sa vie sentimentale. Il y avait donc des numéros où ses « correspondants » de réseau l'appelaient de Hambourg, de Genève, de Paris ou de Beyrouth et d'autres où ses amants pouvaient la joindre. Comme on n'est jamais sûr d'un téléphone à la merci d'une panne, elle était obligée de prévoir des numéros de secours, autant de relais dans sa tête qui était devenue une machine à chiffres, car elle ne voulait rien noter. Elle avait une mémoire formidable, mais parfois cela lui faisait mal de penser aux gens sous forme de numéros qui ressemblaient à des matricules. En se levant, ele songeait : « Aujourd'hui j'ai un 278 32 et un 261 42. »

Elle n'avait plus d'autres responsabilités que l'organisation. Elle décidait d'une cabine dans Westend ou Giesing, et à l'autre bout du monde un commando entrait en action. Elle saurait si l'affaire avait réussi par les titres des journaux. Elle connaîtrait les noms des victimes, leurs morts, ses morts; elle apprendrait qui on avait arrêté.

Elle savait qu'il lui fallait compter avec les infiltrations possibles dans ses troupes, car à Bonn on avait retiré la direction des affaires de terrorisme au Präsidium de la Police. On avait constitué une organisation parallèle où évoluait le rebut de la société, des types de la garde frontière mais aussi des truands mercenaires qui, dans l'ombre, travaillaient « à la balle et au couteau », comme on disait dans cette vieille chanson de la Résistance française. Birgitt ignorait de quelle balle ou de quel couteau viendrait le coup qui l'abattrait. Mais elle s'y était préparée. Le jour où elle avait vu disparaître les affiches et où les journaux s'étaient montrés avares de sa photographie, elle avait compris que quelque chose d'autre se préparait. Alors, elle avait décidé la dispersion et organisé la « conjuration téléphonique ». Elle avait employé cette expression. Elle leur avait dit : « Que tout soit gravé dans votre mémoire. Aucune trace écrite, aucun plan dessiné qui ne soit aussitôt brûlé. Vous ne devez rien leur laisser... » Mais peut-être était-il déjà trop tard, peut-être l'infiltration de son réseau était-elle trop importante!

Birgitt but une gorgée de thé brûlant en parcourant des yeux le décor mal éclairé du pub, les boiseries vieillies artificiellement, les meubles de faux acajou, le grilloir à saucisses et, au mur, des cadres derrière lesquels des enfants en costume marin et des messieurs à barbiche blonde composaient les familles imaginaires des années vingt. Elle pensa : la génération d'Hitler, et la haine lui monta au cœur comme une nausée. Elle songea au vieil avocat rescapé de Dachau et mort dans les prisons de la République fédérale.

« *Fräulein, Fernsprecher, bitte...* »

Le garçon lui indiquait la cabine téléphonique. Birgitt se leva et prit le petit couloir qui, derrière le comptoir, conduisait aux dépendances. Le téléphone était coincé entre la cuisine et les lavabos d'où montait une forte odeur de désinfectant. Ce qu'elle avait à dire aurait paru anodin à une oreille indiscrète. Le seul risque qu'elle prenait se présentait au moment où elle devait fixer le rendez-vous suivant, c'est-à-dire communiquer le numéro auquel on devrait la rappeler. Mais la conversation se terminait toujours par une question codée : « A quel compte dois-je opérer le virement? » Et elle répondait par le numéro d'appel. C'était simple et si plus tard le barman, qui avait peut-être écouté une partie de la communication,

154

était interrogé, il conserverait le souvenir d'une affaire d'argent, ce qui brouillerait la piste assez longtemps... Bien sûr, elle ne prenait pas toutes ces précautions lorsqu'elle téléphonait à un amant. Cela devait ressembler alors à n'importe quel rendez-vous pris par une fille qui entend préserver sa vie privée, à l'insu d'un mari ou d'une famille difficile.

Gunther l'appellerait un peu plus tard dans un salon de thé de Karlsplatz. Il était le seul homme qu'elle voyait assez souvent depuis un mois. Elle ne savait de lui que ce qu'il avait bien voulu lui dire. Il n'en savait probablement pas davantage sur elle. C'était mieux ainsi. Elle l'avait rencontré dans le hall de l'hôtel Vier Jahrestzeiten alors qu'elle attendait l'heure du spectacle au Schauspielhaus de l'autre côté de la Maximilianstrasse. Elle aimait cet endroit à cause du confort de ses fauteuils de cuir piqué et de ses boiseries sombres. Elle prenait une bière et des petits fours salés.

Elle avait remarqué la manière dont Gunther semblait étranger à tout ce qui se passait autour de lui. S'il l'avait regardée, s'il avait seulement posé les yeux distraitement sur elle, sans doute n'aurait-elle rien fait pour qu'il entre dans sa vie. Mais son indifférence l'avait émoustillée. Bien sûr, il lui plaisait. Mais ça ne suffisait pas. Elle n'éprouvait jamais ce besoin immédiat, cette insatisfaction des sens qui pousse une femme à accepter le premier hommage. Elle pouvait rester des mois sans avoir d'homme. Elle avait tant entendu répéter, lorsqu'elle était adolescente : « Avec son sourire, elle peut tout avoir », qu'elle ne craignait pas ce « manque » dont certaines de ses amies souffraient autour d'elle. Bien des années avant, lorsqu'elle avait été hébergée dans une des planques luxueuses de Meinhof, à Berlin, les filles de la bande lui avaient répété le même refrain avec un rien de jalousie derrière : « Toi, tu peux tous te les offrir! »

Elle songeait parfois qu'il aurait été plus facile de ne rien ressentir, de faire abstraction du corps. Et puis, ça la prenait brusquement. Elle se disait : « Je vais me faire passer l'envie. » Oui, c'était facile pour elle. Une femme a fort peu de chose à faire. Un briquet qui ne marche pas, un cendrier qu'on cherche désespérément des yeux, il n'en faut pas plus pour alerter le mâle... Elle pensait : « Pour les hommes, ça doit être difficile, ennuyeux aussi, cette tactique d'approche, ce temps gaspillé... Non, vraiment, je ne voudrais pas être un homme, rien que pour ça! »

Birgitt ne rata que deux fois son coup de briquet avant que Gunther intervienne. Elle se demanda, en fin de compte, s'il était aussi inattentif que cela. Mais elle avait l'habitude de voir les hommes filer doux avec elle. Elle avait apprécié que Gunther s'abstienne de débiter une ou deux banalités. Il s'était contenté de la regarder fumer et elle lui avait donné ce sourire auquel « personne ne résistait ». Le désir la brûlait avant qu'elle se soit demandé ce qui lui plaisait en Gunther : sa haute taille, ses yeux bleus, son abondante chevelure brune, le pli un peu ironique des lèvres...

156

Plus tard, lorsqu'elle s'était abandonnée dans ses bras, la brutalité avec laquelle il la prenait l'avait effrayée un peu. De toute la force de son corps, il lui faisait mal. Et, comme elle était troublée à en perdre l'esprit, il était allé en elle par les voies les plus douloureuses et elle avait cédé à toutes ses demandes. Elle s'était juré : « Il n'y aura pas de seconde fois! » Mais c'est elle qui l'avait appelé. Il y avait donc eu une seconde puis une troisième fois et bien d'autres fois encore, où il l'avait laissée défaite et sanglotante, le corps marqué de ses coups.

Elle avait mal compris ses propres réactions, cette souffrance qu'elle appelait de toutes ses forces, ce *leidensneid* qu'elle avait cru purement théorique, une attitude intellectuelle en quelque sorte. Et puis voilà qu'elle expérimentait le *leidensneid* dans sa chair. Elle s'était souvenue de l'appel au viol lancé par Ilya Erenbourg aux soldats de l'Armée Rouge : « Châtiez l'orgueilleuse femme allemande! » Elle s'était souvenue aussi de la petite photo découverte dans la bibliothèque de son père, parmi un tas de vieilles lettres qu'elle venait dépouiller en cachette. Cela s'était passé lorsqu'elle avait treize ans, peu de jours après qu'elle fut devenue femme. Elle s'était dit : « Désormais, tu n'iras plus fouiller dans les secrets de tes parents. C'est bon pour les mômes! » Sa résolution, prise un jour plus tôt, lui aurait sans doute épargné bien des tourments. Elle aurait vécu dans le cocon sécurisant de l'hypocrisie. Elle n'aurait jamais très bien compris le cri de Gudrun Ensslin à l'Audimax de Berlin, au lendemain

157

de l'assassinat de Bruno Ohnesog, lors de la visite du shah en 1967 : « C'est la génération d'Auschwitz. On ne peut pas discuter avec ces gens-là! »

Chaque fois, au milieu de sa souffrance, elle ne pouvait s'empêcher de murmurer : « C'est l'orgueilleuse chair des Haas que tu châties et que tu humilies. » Mais elle n'était pas dupe de sa trouble jouissance et d'une autre manière Gunther la fascinait par l'extrême gentilesse avec laquelle il se comportait en dehors des parenthèses sexuelles où il devenait mécaniquement brutal.

De toute manière, pour elle, aucune douleur ne serait aussi grande que celle fulgurante éprouvée le jour où elle avait trouvé la petite photo jaunie représentant Herr Richard Haas en uniforme d'Untersturmführer des SS avec au dos les signes calligraphiés à la plume : Dachau 1943.

Plus tard, à Munich, elle avait remarqué : « Par S-Bahn, il ne faut pas plus de vingt minutes pour être à Dachau. » Mais elle n'avait jamais eu le courage d'aller voir.

Jusqu'alors elle avait vécu heureuse dans la maison familiale de la Wilhelmstrasse à Berlin, loin des bruits d'une guerre dont on avait tout fait pour lui cacher les épouvantes. Et puis le tableau s'était déchiré, révélant à l'arrière-plan les pièces d'un puzzle sinistre : la grand-mère dévote qui répétait toujours : « Prions pour nos pauvres enfants! » sans que Birgitt comprenne ce qu'elle voulait dire, les messieurs tout raides du vendredi qui s'enfermaient avec son père dans la bibliothèque jusqu'à une heure avancée de la nuit, consommant d'énormes quantités de bière que le

158

vieux domestique de la maison, Otto le boiteux — il avait perdu une jambe à la guerre — seul autorisé à pénétrer dans les lieux, leur apportait sur un immense plateau de brasserie.

Ces soirs-là, Frau Haas paraissait accablée et il lui arrivait de pleurer silencieusement. Quand Birgitt la questionnait, elle répondait invariablement : « C'est la fatigue! » Et Birgitt se demandait de quoi sa mère pouvait être à ce point fatiguée dans une maison où deux domestiques fournissaient l'essentiel de la dure besogne. Frau Haas lisait, regardait la télévision et s'occupait de quelques bonnes œuvres à la paroisse évangélique. Cela faisait partie du puzzle.

Comme faisait partie du puzzle le verre brisé par Herr Haas, après avoir écouté les informations un soir du printemps 1962. Plus tard, elle avait découvert que le 1er juin de ce printemps-là Adolf Eischmann avait été pendu.

Il y avait eu bien d'autres signes transformant peu à peu ce qu'elle avait pris pour un cauchemar en une réalité déprimante.

La haine n'était pas venue tout de suite. Ç'avait été d'abord comme une torpeur, quelque chose qui ressemblait à une grippe du corps de la pensée. Tout cela confusément mêlé aux premières douleurs de sa féminité.

Au collège, son inattention soudaine avait frappé ses professeurs. On l'avait fait examiner par plusieurs médecins qui l'avaient bourrée de vitamines et de stimulants : « C'est l'âge ingrat! » avaient-ils dit. Ses deux frères cadets la regardaient sans comprendre. Elle avait entendu un jour Hans, le plus jeune, dire à Eric : « Elle a encore ses yeux en dedans... » Il lui arrivait de rester des heures entières prostrée dans sa fatigue morale et son épuisement physique...

Les mois avaient passé, puis, au début de l'automne suivant, les amis de son père étaient venus un soir qui n'était pas un vendredi. Ils étaient plus graves et Birgitt avait remarqué que certains portaient une cravate noire. Ils étaient restés plus longtemps qu'à l'ordinaire et de sa chambre, qui était située au-dessus de la bibliothèque, elle avait surpris un chant lointain : *J'avais un camarade*...

Ils s'en étaient allés un peu avant l'aube. Le calendrier indiquait la date du 16 octobre. Ce matin-là, en sortant du collège, Birgitt était passée au *Spiegel* pour consulter les archives où travaillait la sœur aînée d'une camarade : « Je ne connais qu'un seul 16 octobre... C'est celui qu'on nous demande le plus souvent... Pas les Allemands, remarque... Toujours des correspondants étrangers... C'est le 16 octobre 1946... Pas de quoi en être fiers... Tu n'étais même pas née... » Elle avait sorti une bobine de microfilms qu'elle avait insérée dans une visionneuse : « C'est le journal des forces alliées de Berlin-Ouest. »

Elle n'avait même pas regardé dans la visionneuse. Comment n'y avait-elle pas songé? Bien sûr, la date était dans tous les manuels d'histoire, mais elle n'avait pas encore la mémoire des dates qu'elle avait acquise plus tard (« Ne rien oublier! »). Tout lui était revenu d'un coup : et les mots dansaient devant ses yeux — Nuremberg, condamnation à mort, pendaison, Keitel, Ribben-trop, Streicher, Kaltenbrunner... Entre une heure et trois heures du matin...

Elle avait essayé la religion. Mais elle ne pouvait supporter de fréquenter la paroisse évangélique avec son père et les messieurs en cravate noire du 16 octobre. Et le premier geste de refus avait été de rompre avec cette Eglise et de chercher refuge chez les catholiques. A seize ans, elle avait commencé à se rendre en cachette dans une chapelle de Schillerstrasse. C'est peut-être à ce moment qu'elle avait commencé à se familiariser avec la vie clandestine. Elle ne devait jamais oublier ses conversations avec le père Gerhardt, un prêtre jovial qui semblait totalement déplacé dans son rôle de jésuite, mais qui savait distribuer le réconfort et qui n'avait pas été loin de conjurer le désespoir de Birgitt...

« Vous voulez changer de religion comme on change de décor... Mais vous ne savez pas à quoi vous allez vous heurter... Et je ne parle pas des dogmes. La religion catholique n'est pas aussi formelle qu'on le croit... Une médiocre luthérienne ne fera pas nécessairement une bonne catholique... »

Elle était venue chercher un refuge. Elle rencontrait l'exigence, mais une exigence bienveillante...

« Venez me voir souvent... Il ne faut pas vous presser... Notre rôle n'est pas de jouer les rabatteurs papistes... Votre âme est en quête de quelque chose. Encore faut-il savoir de quoi... »

Elle ne s'attendait pas du tout à cet accueil prudent. Mais elle était revenue souvent. Ils avaient parlé de Dieu, de la Trinité, du Christ. Mais elle avait remarqué que le père Gerhardt ne la lançait pas sur des chemins minés. Il n'avait jamais abordé la question de la présence réelle dans l'Eucharistie, ni celle de la Vierge Marie... Elle avait rarement rencontré quelqu'un d'aussi prudent. Pourtant, il avait bien fallu qu'elle lui explique les mobiles de sa quête :

« Père, je ne suis que haine... »

Il l'avait laissée parler... Et jamais, malgré tout ce qu'elle disait pour le choquer, il n'avait abandonné sa sérénité et elle s'était demandé s'il ne s'agissait pas d'une attitude professionnelle comme celle d'un policier ou d'un psychiatre. Mais dans ce cas elle était forcée d'admettre que c'était un grand professionnel et les paroles qu'il avait prononcées étaient bien celles qu'elle attendait :

« Il y a une forme de haine qui est amour... »

Et puis, après un silence, avant l'estocade :

« De toute manière, quel que soit votre orgueil, dites-vous bien que votre haine ne pèse pas lourd dans la balance avec l'amour du Christ... »

Elle n'était plus retournée à la chapelle de Schillerstrasse. Et elle espérait que le prêtre avait regretté ses paroles. Souvent, elle avait pensé : « Il verra si ma haine... Et puis zut. De toute manière, le Christ a été trahi par son Eglise, par toutes ses Eglises. » Elle ne connaissait pas de patron, pas de dictateur occidental qui ne se recommande du Christ et l'ancien Untersturmfürer Haas du camp de Dachau récitait le *Notre Père* en famille. Récitait-il le *Notre Père* avant de tirer les balles dans la nuque des déportés?

162

Elle savait qu'au-dessous du grade d'Haupt-sturmführer on n'avait arrêté les officiers SS que pour la forme. Un simple sous-lieutenant avait donc pu échapper à la justice... Si encore l'Un-tersturmführer avait eu des regrets! Elle savait qu'il ne portait pas le deuil de ses victimes mais de leurs bourreaux. Combien en avait-on pendu à Nuremberg? Un nombre symbolique... Cela suf-fisait-il?

Frappe donc, Gunther, frappe... Il faut bien que la chair des Haas expie!

Le métro la ramenait vers le centre de la ville. Elle changea à Marienplatz et prit le S-Bahn qui la laissa à Karlplatz. Il était un peu plus de six heures lorsqu'elle entra dans le salon de thé et elle n'attendit que quelques minutes avant qu'on la demande au téléphone : ce n'était pas Gunther, mais une voix inconnue qui lui disait que Gun-ther avait un empêchement et la rappellerait le lendemain. Elle fixa elle-même l'endroit et l'heure.

Puis elle sortit, furieuse... La neige tombait en flocons chargés d'eau qui faisaient un bruit mou en s'aplatissant au sol. Birgitt avait froid et peur.

Kahled avait-il connu cette terreur-là? Que sa-vait-il de la jungle de l'Europe moderne dans la misère de ses bidonvilles de Cisjordanie? Il n'était pas seul... Il avait eu tout un peuple avec lui... Elle avait tout son peuple contre elle.

« Et pourtant je l'aime, ce peuple, se répétait-elle. Je ne hais que le système... » Mais, peu à peu, la « provocation » chère à ses amis s'était retournée contre elle. Les gens n'avaient pas compris leur révolte, la révolte dictée par Marcuse : « Le système établi met tellement en échec la négation qu'elle n'est plus que la parure, politiquement sans pouvoir, du « refus absolu » — un refus qui semble toujours plus déraisonnable au fur et à mesure que le système établi développe sa productivité et allège le fardeau de la vie... »

Cela, c'était la théorie... Mais il avait bien fallu en venir à la pratique puisque le peuple ne voulait pas comprendre : « La lutte qui doit apporter la solution ne peut plus avoir les formes traditionnelles. Etant donné les tendances totalitaires de la société unidimensionnelle, les formes et les moyens traditionnels de protestation ont cessé d'être efficaces... »

A Francfort, elle avait suivi les cours d'Herkheimer, d'Adorno puis d'Habermas. Elle avait appris à critiquer les « institutions » dont Arnold Gehlen était l'apôtre : maudit Gehlen!

C'était vers la fin des années 60, quand tous les jeunes de la fédération universitaire de Berlin-Ouest n'avaient dans la bouche que les expressions « Warenstruktur der Gesellschaft », « Verdinglichung », « Konsumzwang », quand on parlait de révolution mais qu'on se gardait bien de la faire...

Pourtant, il fallait réveiller le peuple, ce peuple dont Marcuse avait dit : « Jadis ferment du changement social, il s'est élevé, il est devenu le ferment de la cohésion sociale... »

Alors ils étaient partis à la recherche de « sansespoir »... Il ne leur fallait plus compter sur les philosophes, ces vieilles pantoufles, comme disait Kahled. Adorno était accueilli à ses cours par des complaintes que tous les étudiants reprenaient en chœur et qui allaient hâter la mort du théoricien fatigué : « Que nous importe le vieil Adorno et toute sa théorie qui nous révolte puisqu'elle ne nous dit pas comment foutre le feu à cette université de merde... » Puis Adorno était carrément passé du côté de l'ordre : n'avait-il pas fait appel à la police pour vider l'université? N'était-il pas allé témoigner contre ses disciples devant le tribunal?

Elle se souvenait de la neigeuse chevelure du professeur Marcuse qui s'empêtrait dans son jargon avec ses nuances entre la « pratique » et la « pratique théorique »... Adieu, Marcuse!

Et puis la guerre avait commencé, une guerre qui ne connaîtrait ni armistice ni amnistie. Elle savait que les chiens étaient lâchés et qu'on ne les rappellerait pas. Elle n'avait d'autre solution que de se battre jusqu'au bout contre la meute en semant du poivre derrière elle pour l'égarer comme elle pouvait.

Maintenant, on allait la tuer.

Le pire, pensait-elle, ça n'est pas de mourir, mais d'être seule... Personne avec qui partager son angoisse. Elle voyageait dans Munich de quartier en quartier, d'hôtel en hôtel, avec sa tête bien peignée de petite-bourgeoise bavaroise à laquelle on ne faisait attention que pour détailler sa jolie silhouette.

Elle avait quelquefois envie de se planter au milieu d'une rue et de crier : « Je suis Birgitt Haas », pour voir leurs têtes. Auraient-ils peur, la prendraient-ils pour une folle, se jetteraient-ils sur elle pour la lyncher?

De toute manière, ils finiraient par la tuer : ça ne pouvait pas avoir d'autre fin. Peut-être serait-ce Gunther. Peut-être était-il entré aux Vier Jahrestzeiten derrière elle. Peut-être faisait-il partie de la chasse... Mais alors pourquoi n'avait-il pas profité de l'occasion... Espérait-il lui soutirer quelque secret? Et pourquoi cette sauvagerie dans l'intimité? Jouait-il la comédie? Etait-il lui aussi pourri de haine? Autant de questions qui la harcelaient, tandis qu'elle se hâtait dans Marxburgstrasse... Elle aurait pu rester bien au chaud dans le salon de thé, mais elle avait pris l'habitude, lorsqu'un rendez-vous était annulé ou remis, de partir rapidement... Mesure de sécurité... C'était trop bête : s'ils avaient voulu la prendre, ils auraient été là avant elle. En fait, elle avait tellement l'habitude de fuir, qu'elle ne raisonnait même plus.

Parler à quelqu'un, à un homme même s'il fallait coucher avec lui après, cela lui était facile, mais elle ne pouvait être elle-même. Elle lui mentait sur son nom, sur son métier, sur sa vie, sur tout...

Elle traversa Promenadeplatz et gagna, au cœur des rues piétonnières, Theatinerstrasse avec ses boutiques de luxe déjà décorées pour le prochain Noël. Près d'Odeonplatz, des salutistes avaient installé leur chaudron et chantaient des cantiques.

Birgitt entendit sonner la demie de six heures et elle leva les yeux vers les tours baroques de la Theatinerkirche. Eglise catholique? Elle hésita... Les paroles du père Gerhardt lui revenaient : « Nous ne sommes pas des rabatteurs papistes. »

Elle entra dans la basilique aux colonnades déjà mangées par la nuit. Se trouvait-elle sur une terre d'asile? « Tu n'as rien respecté de leurs lois et de leurs traditions, se dit-elle, pourquoi devraient-ils les respecter pour toi? S'ils te savaient là, hésiteraient-ils seulement à donner l'assaut? » Et puis l'idée qu'ils avaient changé leurs plans, qu'ils savaient où la trouver quand ils voudraient la tenailla de nouveau : « Gunther, est-ce toi qu'ils ont chargé de me surveiller? Est-ce de toi que viendra le coup? »

Elle remonta par le bas-côté droit jusqu'à l'abside, regardant d'un œil indifférent les stèles à la mémoire des rois de Bavière, puis elle contourna l'autel faiblement éclairé par la lueur rouge indiquant la présence des Saintes Espèces... Si elle entra dans le confessionnal, ce fut sans doute par un de ces gestes impulsifs qui sont plus guidés par l'instinct que par la raison.

Le nom du prêtre, dont elle ne se souvint jamais, était suivi des initiales O.P. des dominicains. Dans son esprit, les dominicains appartenaient à deux types physiques : les « Savonarole », maigres et tristes, et les « Thomas d'Aquin », volumineux et joyeux... Celui-là était un thomiste, à coup sûr. Dans la nuit du confessionnal, elle voyait briller son vaste crâne rond auréolé de cheveux blancs bouclés.

« Père, je ne suis pas venue pour que vous m'entendiez en confession... Je ne viens pas demander un pardon que vous ne pourriez pas me donner, car j'ai la ferme intention de continuer à faire ce que je fais... »

La tête ronde de saint Thomas ne bougeait pas. Birgitt avait le souffle court :

« Je suis Birgitt Haas. »

Saint Thomas, dont l'oreille était presque collée à la grille, ne bronchait toujours pas.

« Je suis venue parce que j'ai besoin de parler à quelqu'un et je sais qu'ici je peux le faire en sécurité... »

Le prêtre toussa :

« S'il ne s'agit pas d'une confession, peut-être pourriez-vous venir jusqu'à mon bureau...

— Non, père, ma confiance ne va pas jusque-là.

— Très bien. »

Il se pencha et souleva le rideau pour regarder les bancs déserts...

« Nous avons tout le temps, dit-il.

— Il y a des mois que je vis cachée. Je suis obligée de mentir. Je suis fatiguée et j'ai peur. On va me tuer...

— Etes-vous préparée à affronter la mort?

— Je ne sais pas... Bien sûr, ils finiront par m'avoir... Mais le plus dur, c'est l'incertitude... Je crois à ma cause, à rien d'autre... Si j'étais en prison et si on me proposait de voir un prêtre, je refuserais probablement... Et puis, là, je suis venue vers vous, peut-être parce que je ne suis plus personne, et aussi parce que vous êtes tenu par le secret. »

Elle parlait, parlait... Le prêtre ne l'interrompait pas. Une fois il questionna :

« Vous n'avez jamais envisagé de pardonner?

— Non, jamais. Ils n'ont pardonné à personne. Ils veulent recommencer. Ils recommenceront.

— Vous n'étiez pas née quand toutes ces choses se sont passées... Vous ne pouvez en endosser la responsabilité!

— Les enfants de Caïn doivent payer!

— Le Christ est venu sur la terre pour racheter la pénible affaire du péché originel, dit le prêtre.

— Alors il faudra qu'il revienne pour racheter le péché de Caïn », dit-elle.

Elle le provoquait. Elle aurait voulu qu'il fasse jour pour le regarder droit dans les yeux.

Et puis, brusquement, elle craqua. Les larmes l'étouffèrent. Le prêtre ne parut pas le remarquer. Il n'était en ce lieu que le représentant de Dieu. L'étole qu'il portait indiquait qu'il avait cessé d'être un homme comme les autres. Il attendit qu'elle se fût calmée.

« Ne désespérez pas, ne désespérez jamais, dit-il, c'est tout ce que je me sens autorisé à vous dire. Je ne puis vous bénir ni pour ce que vous avez fait, ni pour ce que vous ferez. Et, si cela peut vous consoler, moi-même, en tant que dominicain, je ne suis pas très fier non plus de mes ancêtres.. Torquemada fut un des nôtres et dirigea la chasse aux juifs en son temps... L'Inquisition n'a peut-être pas tué autant de gens que le nazisme, mais nous n'avons pas lieu d'en tirer orgueil... »

Il avait réussi à la surprendre comme autrefois le père Gerhardt.

« Mais pensez aux innocents, aux enfants...

— Non, père, coupa-t-elle, furieuse, pas cela! Ou alors il faudra que votre Christ revienne et se fasse recrucifier. »

Il ne releva pas le blasphème. Il dit simplement :

« Vous voudriez, en somme, que le Christ revienne pour vous toute seule... »

Elle essaya encore de le provoquer. Cet affrontement dans les ténèbres de l'église lui avait redonné du courage. Mais le dominicain était aussi habile que le jésuite.

A la fin, comme elle avait brisé toutes ses lances, il voulut avoir le dernier mot :

« Il y a bien longtemps, en France, une femme en pleurs vint trouver un prêtre qui passait pour un saint et un visionnaire. Elle lui dit : « Mon « mari m'a laissé un mot m'annonçant qu'il allait « se suicider, puis il s'est jeté du haut d'un pont. « Je crains qu'il ne soit damné. » Le prêtre lui répondit : « Allez en paix, votre mari est sauvé, « car entre le pont et l'eau il a eu le temps de « se repentir. » Je sais qu'aujourd'hui une bonne partie des êtres de cette terre souhaitent votre mort. Mais, quoi qu'il arrive, quoi qu'il arrive... — il s'était soudain animé et martelait de son poing l'accoudoir — dites-vous qu'au dernier moment, si vous vous jetez de toute votre force dans les bras de Dieu, il ne vous repoussera pas... »

Elle en avait assez :

« Je regrette d'être venue, dit-elle. Je voulais

juste dire à quelqu'un qui j'étais. Excusez-moi. Merci de m'avoir écoutée. »

Il dit encore :

« Je prierai pour vous. »

Et elle s'en alla précipitamment sans même regarder la tête de saint Thomas d'Aquin toujours immobile.

Il n'y avait plus personne dans l'église et elle dut sortir par la petite porte latérale qui était encore ouverte. Le prêtre eut la délicatesse d'attendre qu'elle fût partie avant de quitter le confessionnal. C'était un homme ordinaire mais rompu au jeu avec les âmes. Chaque soir, il quittait le Saint Tribunal, un peu plus lourd des fautes qu'on lui avait confiées... Cette nuit-là il devait rester longtemps en prière dans la vieille chambre qu'il occupait près de Salvatorkirche.

Tandis que Birgitt Haas roulait en tramway vers le quartier de la gare où elle avait pris une chambre dans un hôtel confortable d'Arnulfstrasse, Bauman se faisait déposer au « Bayerischerhof et Palais Mongelas », dans Promenadeplatz. Depuis l'aéroport, il se sentait fiévreux et il avait usé un paquet de mouchoirs à tenter vainement d'endiguer les fontaines qui coulaient de ses sinus en feu. Dès qu'il fut dans sa chambre au luxe rassurant, il fit mousser deux comprimés d'aspirine dans un verre d'eau et s'allongea tout habillé sur le lit, se laissant engloutir par les vagues moelleuses de l'édredon de duvet. Il ferma les yeux et attendit que les aspirines adoucissent le vacarme que le voyage et le rhume avaient déclenché dans sa tête.

Il somnola ainsi un peu plus d'une heure et, au bout de ce temps, il constata qu'il respirait mieux et qu'il avait faim. Il passa rapidement un peigne dans ses cheveux mal entretenus et enfila une veste marron. Chalifert ayant insisté sur la nécessité d'une mise correcte, il avait dû nouer une cravate, mais il n'avait pas pu se résoudre à fermer son col qui lui serrait le cou et, même en complet, il avait ainsi un petit air négligé qui ne cadrait pas avec le décor.

Le restaurant de l'hôtel était assez cher, mais pour ce premier soir à Munich il décida de se donner du bon temps. En fait, il choisit le plat le moins cher de la carte : une paire de *weisswurst* et une portion de choucroute qu'il aurait pu manger pour deux fois moins cher dans n'importe quelle brasserie. Il but un demi de bière fraîche et légère et s'abandonna au plaisir de fumer une cigarette en oubliant son rhume. Dix minutes plus tard, la chaleur de la salle à manger aidant, il éternuait de nouveau et ses yeux recommençaient à le brûler. Il commanda une autre bière en songeant qu'elle éteindrait le feu qu'il sentait monter en lui. Mais c'était un mauvais calcul, car le picotement reprit de plus belle et il éternua bruyamment. Il lui sembla que les clients du restaurant s'arrêtaient de manger et de parler pour le regarder et cela lui fit le même effet que le jour où il avait remarqué la tache dans les chevrons de la veste de Chalifert. De grosses gouttes de sueur inondaient son front et il utilisa sa serviette pour s'éponger. Puis il commanda son antidote préféré contre les « forces intérieures » : une de ces pâtisseries qui croulent sous les crèmes légères et sucrées... Après qu'il en eut mangé quelques cuillerées, il sentit le calme revenir en lui. Il regarda le couple installé à la table voisine. Lui avait dépassé la cinquantaine, mais il portait sur son visage les marques d'une vie douloureuse. Elle, à peine moins âgée, avait des traits d'une douceur infinie et des yeux bleus magnifiques à peine soulignés par les rides du sourire. Elle avait pris les deux mains de l'homme dans les siennes et lui parlait tendrement, de choses intimes sans doute, car il semblait gêné et à un moment il fit même « Chut » en jetant un regard affolé à l'entour. Puis il inclina de nouveau la tête vers son assiette comme un être effondré. Alors, se penchant par-dessus la table, la femme mit ses doigts dans sa chevelure grise éparse et la caressa.

Bauman en oublia son rhume. Toute la soirée, il se demanda quel destin pathétique avait lié ces deux-là. S'étaient-ils perdus puis retrouvés, allaient-ils se perdre de nouveau, était-il atteint d'une maladie mortelle ou bien ses affaires l'avaient-elles conduit à la banqueroute?

En quittant le restaurant, ils s'embrassèrent furtivement et sortirent serrés l'un contre l'autre.

Bauman les enviait, quelle que soit leur détresse. Ils étaient deux et il pensait : « Lorsqu'on est deux, le mal est toujours loin! » Il songea à Madeleine : il n'avait jamais été ainsi avec elle, ni elle avec lui. Il se demanda si, au restaurant, lorsqu'elle dînait avec Georges, ils se regardaient ainsi avec tout l'amour du monde dans les yeux, si elle lui disait des choses qui le faisaient rougir. Mais il ne voulait pas se laisser emporter dans cette direction, car bientôt les images se faisaient trop précises, trop intimes et la douleur l'anéantissait pour des heures.

Il était un peu plus de dix heures lorsqu'il quitta l'hôtel. La pluie avait cessé et dans le ciel quelques trous laissaient voir les étoiles. La Munich dans laquelle Bauman se promena cette nuit-là ne ressemblait guère à la Munich éventrée par la guerre qu'il avait visitée en compagnie de son père vingt ans auparavant. A cette époque, la ville s'était transformée en un immense chantier et retentissait du bruit des perforeuses et du choc des boulets qu'on balançait sur les pans de mur endommagés pour les faire tomber. Le désir de tout effacer, de tout reconstruire, transparaissait dans les moindres gestes. Avec quel orgueil aujourd'hui encore les plans exposés dans le baptistère de la Frauenkirche ne vantaient-ils pas l'ingéniosité et la détermination des architectes bavarois qui avaient reconstruit minutieusement la grande cathédrale dont les bombardements n'avaient laissé debout que trois pans de mur et les colonnes gigantesques...

Ce n'était pas non plus la Munich des fêtes et, bien que partout l'on sentit l'approche de Noël, on n'entendait pas de rires bruyants dans les rues comme le dépliant publicitaire qu'il avait lu à l'hôtel le laissait croire : « Atmosphère troublante... liesse débridée... des nuits entières à danser... »

Quand on emprunte Maffeistrasse puis Schrammerstrasse, il n'y a que deux cents mètres à faire pour se rendre de Promenadèplatz à Amplatz où se dresse le Hofbrauhaus, cette citadelle de la bière, édifiée au cœur d'un quartier tortueux, sinistre comme un décor de film expressionniste.

Bauman traversa les salles puantes de bière tiédie, cherchant quelque chose d'humain autour de ces longues tablées de réfectoire où s'affairaient d'énormes matrones aux bras musclés à force de porter les grandes chopes d'un litre chaque jour pendant des heures et des kilomètres. Près des comptoirs on pataugeait dans la bière et du côté des toilettes les buveurs faisaient la queue pour vomir leur trop-plein de liquide avant de retourner remplir leur panse et faire résonner de leurs rots et de leurs pets cet hallucinant hospice d'ivrognes.

Bauman, de nouveau, eut peur. Il ne lui avait pas fallu vingt secondes pour prendre la température de la salle. Il sortit précipitamment, bousculant deux poivrots qui l'injurièrent.

La neige tombait de nouveau. Elle était plus consistante et laissait maintenant sur le sol des traînées poudreuses. Bauman se hâta vers Maximilianstrasse, où il prit à un distributeur automatique un ticket de transport de cinq marks valable vingt-quatre heures, puis il sauta dans un de ces tramways que les Allemands appellent « chemins de fer de rue » (Strassenbahn) et rentra au Bayerischerhof.

Il s'enquit si un « Herr Weidman » l'avait demandé.

« Ni ce monsieur, ni aucune autre personne », répondit le concierge dans un français impeccable.

Il avait dû lire la nationalité de Bauman sur son vaucher, car on ne lui avait pas demandé son passeport.

Bauman alla faire un tour au bar, où il but une bière en regardant les deux filles qui encadraient un gros homme bourré d'alcool. Le type gueulait au barman des histoires qu'il était le seul à trouver drôles et les deux filles échangeaient d'autres histoires drôles par-dessus la tête de leur « client ».

Bauman regarda les filles maquillées et parées pour le plaisir jusqu'à ce que des idées malheureuses viennent le hanter. Il régla sa note et monta se coucher.

Il était un peu plus de minuit et, à cette heure-là, le train qui amenait de Paris l'homme de Gasser n'était pas loin de franchir la frontière franco-allemande. C'était un garçon grand et maigre qui ressemblait assez à Bauman : on l'avait choisi pour cette raison précise, bien qu'il n'ait pas été un des meilleurs agents du service « Action ». « Mais il connaît son affaire », avait dit Gasser. Et Athanase avait approuvé son choix. C'est seulement quelques jours plus tard que Gasser avait précisé son appréhension : l'agent travaillait pour la première fois en « solo ». Athanase s'était mis en colère et, s'abandonnant à la fureur, il s'était laissé aller à jurer. Mais il était trop tard : l'homme faisait route vers la cible. Pour rassurer Athanase, Gasser lui avait décrit par le menu les préparatifs de l'opération.

« Nous avons reconstruit en maquette l'étage de l'hôtel Eden où la fille réside actuellement...

— Et si elle change d'hôtel?

— Nous savons qu'elle a fait une réservation sous le nom de Monica Weiss dans un autre hôtel à partir du 22 décembre. Là encore, nous avons reconstitué sur maquette l'étage où se trouve la chambre qu'elle doit occuper.

— Et si elle demande à changer de chambre au dernier moment?

— Le Präsidium de la Police de Munich a un informateur auprès de la direction de l'hôtel : on lui répondra que toutes les autres chambres sont occupées. En vérité, nous avons prévu qu'elle demanderait à changer de chambre. Elle est prudente. Elle le fait chaque fois...

— Tout cela me semble terriblement complexe, avait dit Athanase.

— Pas du tout. Souvenez-vous de l'affaire du type de l'O.A.S. que nous avions enlevé là-bas, avec la bénédiction du Präsidium. Nous avions évalué les risques de la même façon.

— Oui, avait dit Athanase, mais vous n'aviez affaire alors qu'à un officier supérieur. Cette fois, vous allez vous trouver en face d'un peu plus de matière grise.

— C'est pourquoi nous avons prévu des solutions de rechange, avait répliqué Gasser sans relever l'ironie d'Athanase. Toutefois, pour la commodité, nous souhaiterions que cela se passe à l'Eden, où la chambre 220 qu'elle occupe actuellement communique avec la chambre 221.

— Il faudra donc que Weidman presse son homme d'agir.

— Ils se sont rencontrés hier : Weidman lui a conseillé d'annuler le rendez-vous qu'il avait pris avec Birgitt Haas. Il est important, dit-il, de faire lanterner la fille jusqu'à la jonction.

— Reste à savoir si Haas trouvera Bauman à son goût.

— Notre homme la connaît bien. Il la tient, si vous voyez ce que je veux dire... »

Mais Athanase, qui affectait toujours de ne rien connaître aux choses du sexe, avait changé de conversation.

Bauman passa une moitié de sa nuit à éternuer et l'autre à lutter contre la gueule de bois que lui avait donnée l'excès de bière. « Avec les tranquillisants, ça ne fait pas bon ménage », l'avait prévenu le docteur Haudry.

Au petit matin, il était vanné. La bouche mauvaise, il avala un petit déjeuner qui lui parut encore plus mauvais. Ni le café ni les confitures n'avaient de goût. Il avait envie de se recoucher et d'essayer de dormir, mais l'appel d'Horst Weidman ne lui en laissa pas le temps :

« Cheu fous attends tans lé hall te fotre hôtel. »

Bauman promit de descendre immédiatement

178

et se précipita vers la salle de bain pour s'asperger le visage. Dix minutes plus tard il sortait de l'ascenseur et traversait le hall. La seule personne qui s'y trouvait en dehors du personnel de l'hôtel était un petit homme d'une cinquantaine d'années à la chevelure blonde et aux joues roses imberbes...

« Monzieu Bauman? » interrogea-t-il.

Bauman acquiesça et salua Weidman en allemand. Il ne verrait pas d'inconvénient, dit-il, à ce que la conversation se poursuive dans cette langue.

Weidman rosit un peu plus et s'excusa pour son mauvais français.

Ils prirent place dans les gros fauteuils du salon et Weidman commanda au garçon un litre de Pschorr et du schnaps de framboise. Bauman dissimula comme il put la nausée qui montait en lui, mais demanda un café noir.

Chalifert avait raison à propos de Weidman : il buvait à s'en faire éclater l'estomac. Pendant la demi-heure que dura leur entretien, le petit homme rose avala un second litre de Pschorr et deux autres schnaps sans broncher, tout en lui parlant du marché du livre en Bavière :

« Les gens lisent beaucoup, surtout des documents, des récits, des reportages, tout à fait une clientèle pour votre encyclopédie. Je vous conseille de commencer votre prospection par les vrais libraires. Nous n'avons qu'une confiance limitée dans les « maisons de la presse », où la clientèle passe, anonyme. En revanche, le libraire de quartier conserve le contact avec le lecteur. C'est chez lui que vous trouverez le meilleur accueil. Ne ménagez pas votre temps. Ces gens sont très bavards. Ecoutez-les jusqu'au bout. Mais essayez tout de même de placer votre mot. Chalifert a dû vous en parler : il faut que vous insistiez sur l'adaptation du texte au public germanique, sur l'importance qu'on accordera aux auteurs allemands, aux créateurs, aux hommes politiques. Soyez très discret, je dois vous recommander, sur la période des années 30-40. Il faut songer que les gens font ce qu'ils peuvent pour oublier. »

Bauman se souvint des croix gammées gouachées au noir sur les photos des zeppelins au musée de Friedrichshafen qu'il avait visité avec son père, et il sourit poliment.

« N'insistez pas trop sur Bertolt Brecht. Il est plus aimé chez vous qu'ici.

— Je ne connais pas de rue Brecht, en effet », dit Bauman.

Weidman toussa et but une gorgée de schnaps...

« Les jeunes aiment Brecht, bien sûr... Mais, vous comprenez, ils n'ont pas d'argent pour acheter une encyclopédie. Remarquez... Personnellement, j'adore Brecht. »

Il se mit à réciter entre deux renvois de bière :

Frères humains qui après nous vivrez,
N'ayez le cœur contre nous endurci.
Ne riez pas quand nous apercevrez
Tout décharnés, car tels serez aussi...

« Mais c'est du Villon, coupa Bauman.

— Oui, le cher homme a un peu adapté votre

poète... Mais il a lui-même écrit un tombereau de poèmes. Vous connaissez celui-ci?

> Quelqu'un peut venir d'Ulm et m'égorger.
> Puis une aube dans le ciel pâlira.
> Le frisson d'un brin d'herbe auquel je prêtai
> [naguère attention
> Deviendra enfin immobilité...

L'alcool agissait maintenant à une vitesse phénoménale sur Horst Weidman, modifiant son comportement d'une gorgée à l'autre. Bientôt il trébucha sur les mots et Bauman lui proposa un autre poème de Brecht :

> Allemagne, ô blonde, blême,
> Au doux front, aux nuages fous,
> Que survint-il dans tes ciels silencieux
> Pour qu'à présent tu sois le charnier de l'Eu-
> [rope?

« Cela n'est sûrement pas pour notre clientèle non plus », lança-t-il au petit homme rose.

Mais Horst Weidman avait déjà rendu les armes. La chope vide à la main, le menton étalé sur sa poitrine, il ronflait doucement.

Bauman, pour la première fois depuis longtemps, pensait dominer la situation, mais cela ne dura qu'un instant. La bière de la veille agissait plus insidieusement sur lui que sur Herr Weidman : une nouvelle nausée le saisit et, plantant là l'ivrogne endormi, il battit en retraite vers les toilettes.

Lorsqu'il retourna au salon, quelques minutes après, Herr Weidman avait disparu. Bauman demanda si on l'avait vu passer dans le hall, mais le concierge répondit sur le même ton obséquieux que la veille qu'on n'avait vu ce monsieur « ni aucune autre personne » quitter l'hôtel.

Bauman remonta dans sa chambre. Il tournait la clef dans la serrure lorsque le téléphone sonna. Au bout du fil, il reconnut la voix de Weidman :

« Eh bien, mon cher, où étiez-vous passé? Je vous attends au bar. Nous prendrons un petit apéritif en tirant nos plans... »

Bauman trouva l'homme rose devant un autre litre de bière — c'était le troisième en une heure — et en train de croquer un énorme bretzel. Décidément, Chalifert était loin du compte lorsqu'il avait évoqué « le faible de Weidman pour la boisson ». Ce type était une outre et Bauman imaginait mal comment il allait travailler avec lui. Mais la petite sieste que Weidman s'était offerte au salon après sa sortie poétique lui avait donné un second souffle. Il reprit la conversation là où il l'avait laissée, sautant de Brecht à Schiller pour revenir à Goethe. Il exhibait sa culture et jonglait avec elle, comparait l'architecture d'un Andreas Schlüter avec celle d'un Côme-Damien Asam, puis évoquait les gravures de Dürer, survolait le pessimisme de Schopenhauer...

« Mon cher, chaque libraire a sa marotte. Mais, si l'un d'entre eux vous entreprend sur Marx ou Engels, soyez prudent. Nietzsche peut être un sujet périlleux, susceptible de vous faire manquer une commande plus tard. Avec Heidegger, vous courez moins de risques. On n'en parle plus guère qu'entre intellectuels. »

Bauman, épuisé par la faconde de Weidman, avait fini par se mettre à la bière, ce qui avait entraîné son interlocuteur à commander un quatrième litre de Pschorr, et à orienter la conversation sur le chapitre de la musique :

« Vous autres Français n'avez d'oreille que pour Bach, Mozart, Beethoven. Vous croyez aimer Wagner, mais vous ne comprenez rien à son romantisme. Et depuis qu'un petit cercle de snobs a découvert les dodécaphonistes, puis les « électroniciens », on n'entend plus parler dans vos salons que de Berg et de Stockhausen... Mais nos grands baroques, Haendel, Telemann... Allons, allons, vous les ignorez. Hein? »

Il y avait longtemps que Bauman n'écoutait plus. Les yeux noyés dans sa bière, il se demandait si le petit homme rose tiendrait un cinquième litre avant que sonne midi au carillon du Neues Rathaus.

« Mon Dieu, quelle journée! gémissait-il en lui-même, comment me débarrasser de ce poivrot bavard? »

Il tenta une diversion :

« Si je dois commencer tout de suite ma prospection, je devrais peut-être songer à déjeuner rapidement...

— Ah! ah! jeune homme, vous voulez échapper à ce raseur de Weidman. Bien, bien. De toute manière, nous nous retrouverons... Ce soir. Très important... (Il commençait à bafouiller.) Très important. Je vous téléphonerai ou vous laisserai un message... »

Il jeta quelques marks sur le comptoir, descendit de son tabouret et se dirigea vers la sortie, raide et précautionneux comme le sont les ivrognes confirmés. Il marqua une pause avant de franchir le pas, comme s'il voulait viser juste, puis s'élança vers la volée de marches, qu'il sauta prestement. Bauman n'avait jamais vu ça. Il pensait devoir raccompagner Weidman en voiture...

La bière l'avait écœuré et il renonça à déjeuner pour prendre un peu de repos dans sa chambre. Cette fois, le téléphone ne le dérangea pas, mais ses narines se mirent à le chatouiller et, après trois éternuements, son nez se transforma en fontaine et il recommença à froisser des mouchoirs en papier et à avaler des aspirines gazeuses. L'idée de se mettre au travail lui était intolérable. Dans l'état où il était, comment affronterait-il les libraires? Que savait-il de Schiller et de Heine? Weidman lui avait flanqué la frousse avec son speech sur l'architecture et la musique. Il se leva, fourragea dans sa trousse de toilette et prit le flacon de pilules roses. Il valait mieux ne pas attendre...

A trois heures il se sentit mieux. Il prit un bain, s'habilla avec soin, enfila son vieux burberrys', prit sa serviette d'échantillons et se dirigea vers le quartier piétonnier que limitent Odeonplatz au nord et Rindermarkt au sud. En chemin, il entra dans un bar pour boire une limonade assaisonnée d'une aspirine. Sa tête lui faisait moins mal et il respirait un peu plus facilement.

Bauman n'avait jamais rien vendu à personne et n'avait jamais osé quitter un magasin sans acheter quelque chose. Entrer dans un établissement pour bavarder avec un commerçant lui semblait une entreprise redoutable. Il repéra une petite boutique peu fréquentée et attendit d'être seul avec le libraire pour expliquer le but de sa visite. C'était un brave homme de libraire, patiné par les ans et pétri de bienveillance pour les colporteurs d'encyclopédies. Bauman n'eut pas à placer un mot. Le vieil homme monologua pendant une heure. Il était très fier de sa ville et encore plus de sa clientèle : pas le genre à acheter des séries noires ou des romans roses, mais épris de culture sérieuse : « Ils sont très curieux, cher monsieur, très curieux et de toutes sortes de choses. Ils s'intéressent aussi bien à l'apiculture qu'à la politique générale ou au roman moderne... » Il proposa à Bauman une tasse de café qu'il alla préparer dans sa « réserve »... Il se montra très chaleureux. Sa clientèle serait certainement enthousiasmée par ce projet d'encyclopédie. Rien que pour sa librairie, il prévoyait cent cinquante, peut-être bien deux cents demandes. Naturellement, il faudrait pratiquer des prix de faveur pour les souscripteurs et lui-même espérait bien une ristourne : Bauman le rassura. Tout cela était prévu... Ils se séparèrent ravis l'un et l'autre, se complimentant réciproquement et se promettant de se revoir.

Bauman respirait. Que les affaires avancent à ce train et il se sentirait bientôt à l'aise dans sa peau de colporteur. Il était un peu tard pour entreprendre d'autres visites et il décida de retourner à l'hôtel, bien que l'idée d'y trouver un message du poivrot aux joues roses ne l'enchantât guère.

La température s'était adoucie et Birgitt avait décidé de marcher un peu. Munich l'avait déconcertée par son climat imprévisible, son alternance de vents chauds et de courants glacés qui lui donnait la migraine. La veille, elle avait manqué s'évanouir de froid. Aujourd'hui, elle supportait à peine son manteau et elle avait échancré son chemisier de coton fleuri. Le sol trempé de la nuit était déjà presque sec et le sapin gigantesque hissé sur la Marienplatz n'évoquait plus un Noël proche.

Birgitt, ce jour-là, avait donné le numéro de « Peterhof », un café en terrasse d'où on peut voir les toits de l'hôtel de ville et les dômes des églises baroques qui le cernent. En quelques secondes un ascenseur vous catapulte au cinquième étage et vous vous trouvez dans une salle vaste et chaude avec de petites tables pour deux ou quatre personnes, encombrées de théières et d'assiettes à gâteaux. Birgitt laissa son manteau au vestiaire et trouva une place inespérée près de la baie donnant sur Marienplatz. Elle commanda du thé et la spécialité de la maison, une Apfelsahntorte, où se mêlent avec bonheur le biscuit, la crème fouettée et les pommes... Elle aimait les pâtisseries fraîches comme sa mère savait en confectionner avec ses recettes danoises, et ses

186

amies l'avaient toujours enviée parce qu'elle pouvait en manger des quantités sans jamais prendre un kilo. Et c'était vrai qu'à trente-trois ans elle avait conservé sa minceur de gamine. Elle étonnait toujours ses amants, qui lui donnaient sept ou huit ans de moins que son âge. Si d'autres mentaient pour se rajeunir, elle était presque tentée de se donner un ou deux ans de plus pour les épater davantage. Gunther, lui, n'avait été étonné de rien. Tout ce qu'il savait faire, c'était de saccager, de détruire, comme s'il ne pouvait pas supporter la beauté. La dernière fois, il l'avait frappée avec tant de violence que la peau de son dos avait éclaté et qu'elle avait laissé sur les draps des traces de sang noir. Comment pouvait-elle supporter cela? Elle enfonça la petite cuiller d'argent brutalement dans la crème onctueuse et dévasta l'appétissante « torte ». « Comme terroriste, ma pauvre Birgitt », songea-t-elle, c'est tout ce que tu es bonne à faire : dévaster des maquettes en biscuit! » A son âge, dans le métier, on prenait sa retraite ou on mourait. A supposer que les autres l'épargnent ou qu'elle leur échappe, elle ne s'imaginait pas posant des bombes ou même dressant les plans d'un enlèvement jusqu'à soixante ans. Les terroristes meurent jeunes ou bien ils deviennent des leaders politiques! Tel qui la veille était pourchassé comme une bête se retrouve le lendemain à la tête d'un Etat et peut aller discourir à l'O.N.U. Kahled, s'il avait vécu, aurait sans doute obtenu un portefeuille dans un ministère palestinien... Mais Baader, ce petit voyou, Ensslin, Meinhof, ces idéalistes, et les autres étaient morts, pendus, dans leur cellule... C'était donc plus terrible d'être terroriste dans un pays qui ignore la peine de mort, plus terrible de se battre contre un Etat « démocratique » que contre un Pinochet, un Sadate ou un Beghin, là en pleine guerre pourtant.

Plus elle y réfléchissait, plus elle pensait qu'elle n'avait aucune chance, qu'elle était virtuellement morte.

Elle sursauta lorsqu'elle vit la petite dame en tablier blanc s'avancer à travers les tables avec une ardoise où était tracé à la craie le nom de Monica Weiss. Elle fit un signe de la main. La petite dame s'approcha d'elle :

« *Fernsprecher, bitte...* »

Birgitt lui glissa un mark dans la main et fila vers la cabine.

Cette fois, c'était bien la voix de Gunther. Son cœur battit. Il s'excusait pour la veille... Il ne pouvait pas lui expliquer maintenant, mais il avait très envie de la voir... Ce soir si elle voulait : il avait réservé une table au Franziskaner, la meilleure brasserie de Munich... Ce serait, disait-il, une petite fête... Elle lui avait manqué.

La peau de son dos lui faisait encore mal, mais elle se sentait joyeuse. Elle lui promit d'être à l'heure. Autrefois elle se serait dit : « Celui-là ou un autre! » Mais aujourd'hui elle s'attachait à cet homme comme à une mauvaise habitude... Peut-être était-ce cela, vieillir!

Dans la chambre du Bayerischerhof, le téléphone sonna. Bauman reconnut tout de suite la voix enjouée d'Horst Weidman :

« Très cher ami, j'espère que vous avez passé un fructueux après-midi... Très bien, très bien, nous parlerons de tout cela plus tard. Je vous retiens à dîner... »

Bauman tenta d'invoquer son mauvais rhume. Mais Weidman insista :

« Non, cher ami, vous ne m'échapperez pas. D'ailleurs vous ne le regretterez pas. Je vous emmène dans une des meilleures brasseries de la ville. Nous n'aurons que quelques pas à faire. C'est tout près de votre hôtel. Je passerai vous prendre vers huit heures. Au bar! »

La voix de Weidman était gaillarde et Bauman resta stupéfait de la rapidité avec laquelle le petit homme aux joues roses avait récupéré.

Il avait plus d'une heure à tuer avant le rendez-vous et il descendit au bar de l'hôtel boire un verre en songeant : « Si je dois tenir le rythme de ce type, autant commencer tout de suite. » Il commanda une Spaten qu'il but en croquant des petits gâteaux salés. La fraîcheur de la bière est traîtresse. Au lieu de désaltérer, elle allume puis entretient la soif. Bauman fit donc suivre la première Spaten d'une seconde, si bien que ses yeux brillaient lorsque Weidman, toujours rose et pimpant, fit irruption sur le tabouret voisin.

« Alors, on prend goût à la chose, plaisanta-t-il. Vous verrez, on s'y habitue très vite. Mais vos « demis » à la française sont ridicules, mon ami. Ici on ne commande la bière que par litres. Et encore vous êtes volés, parce que les faux cols prennent des proportions inquiétantes... Ah! je n'ai réservé notre table que pour la demie. Nous avons quelques minutes pour bavarder amicalement : *Ober, bitte, noch eins!* »

Le barman devait le connaître, car il lui servit d'office un énorme grès que Weidman vida en trois lampées. Il se détourna pour roter discrètement puis entraîna Bauman :

« Ne nous éternisons pas ici, la bière est bien meilleure là où je vous emmène. »

Et Bauman comprit que la dégustation ne faisait que commencer. Il en avait déjà le vertige et sa cuite de la veille fort timorée lui faisait appréhender celle plus affirmée qu'il devrait subir ce soir-là.

Weidman avait posé sur sa tête un des ridicules chapeaux à plume qui font partie de l'uniforme bavarois. Il marchait d'un pas vif presque sautillant et Bauman, de plus en plus éberlué, se demandait comment fonctionnait ce tonneau de bière ambulant. La Franziskaner où l'entraînait l'homme rose se trouve dans Perusastrasse, presque à l'angle de la Max Joseph Platz. C'est un établissement un peu moins vaste que les autres brasseries munichoises mais plus cossu et, outre une bière et des vins de choix, on y sert une cuisine délicieuse.

Le maître d'hôtel installa les deux hommes derrière une petite table d'encoignure couverte d'une nappe à damier. A la table voisine, disposée à la perpendiculaire, un couple faisait son menu : lui, grand et large, l'œil bleu, le cheveu brun et long, était penché sur sa voisine et murmurait quelque

190

chose qui faisait sourire la fille dont la tête était inclinée et à demi cachée par une mèche aux reflets dorés.

« Je vous conseille ce plat, disait Weidman en désignant un point de la carte. Le nom ne vous dira rien, mais c'est tout à fait remarquable : une sorte de rôti de canard confit dans une sauce aux cerises, épaisse et sucrée, qu'on sert ici avec des pâtes fraîches... Tout à fait remarquable. »

Bauman hocha la tête affirmativement, mais il ne l'écoutait plus. La fille venait de redresser la tête et son regard avait croisé le sien, un regard sans signification précise mais qui avait enregistré sa présence. Il se demanda s'il n'avait pas rêvé quand il avait cru la voir sourire, car son visage était plutôt douloureux avec quelque chose de triste dans les yeux. Mais ça ne voulait rien dire. La fille du car, à Châteauroux, avait les mêmes yeux tristes, et puis dans l'intimité elle n'avait pas été triste du tout.

Il ne s'était même pas aperçu que Weidman avait commandé des chopes de bière :

« De la brune, pour changer... Un excellent apéritif !

— J'aurais préféré du vin, dit Bauman.

— Qu'à cela ne tienne. Rouge, blanc, rosé ?

— J'aimerais autant du vin de Wurtemberg.

— Du Neckar... Avec ce vin acide, je vous vois mal parti, mon garçon... Auriez-vous l'intention de vous mesurer avec le gaillard qui est à ma gauche ?

— Pardon ?

— Allons, voyons... Vous croyez que je ne vous

ai pas vu. La demoiselle vous plaît. Mais, attention, mon garçon, ici la clientèle est, comment dites-vous? huppée. Nous ne sommes pas dans une quelconque gargote comme le vieux Donisl ou l'épouvantable Hofbrau.

— Ecoutez, Weidman, je n'ai que faire de vos conseils. »

Il y avait longtemps qu'il ne s'était pas mis en colère. Et il sentit qu'un flot de sang lui était monté au visage et que sa tête allait éclater. Puis il dut devenir très pâle, car une immense faiblesse gagna tout son corps et il prit son visage dans ses mains...

« Qu'avez-vous, mon ami? Vous ne supportez pas la bière?

— Je n'ai rien », dit Bauman; et, jetant un regard désespéré alentour, il rencontra de nouveau les yeux tristes et il eut honte de sa faiblesse.

Il se rendait bien compte que Weidman et lui-même avaient élevé le ton et que les clients aux autres tables les regardaient.

Weidman, impassible, vida son litre et lâcha un énorme renvoi qui fit sursauter le type à côté de la fille. Bauman était de plus en plus mal à l'aise. Il baissa la tête et se concentra sur sa chope. De toute manière, il n'avait pas l'intention de boire une gorgée de plus. Voyant qu'il ne touchait pas à sa bière, le petit homme rose prit le pot de grès bleu :

« Vous permettez? »

A chaque gorgée il avalait un bon quart de litre. Puis il rotait bruyamment et le grand costaud

192

avait l'air de plus en plus agacé. La fille avait posé une main sur son bras commé pour le calmer, mais on sentait l'homme à bout. Il fit un geste vers le garçon.

« Vous n'auriez pas une autre table? » dit-il en faisant une moue dégoûtée en direction de Weidman.

Le garçon était de ceux qui compatissent, mais il ne put qu'exprimer ses regrets. Tout, hélas! était retenu. Il n'y aurait rien de libre avant une heure ou deux.

La fille, de nouveau, posa sa main sur celle du costaud. Mais il était excédé. Et, quand Weidman, ayant épongé le litre de Bauman, lâcha un nouveau rot sonore, le type se tourna vers lui et martela d'une voix forte :

« J'espère que nous ne vous dérangeons pas trop!

— Oh! mais pas du tout, je vous en prie », répondit Weidman avec onction...

Impossible que le petit homme rose n'ait pas compris l'allusion. Ou alors il était déjà trop ivre. Bauman ne disait rien. Il était aussi gêné que la fille et tous deux avaient maintenant le même air lamentable.

« En ce qui concerne les filles, poursuivit Weidman entre deux hoquets, si vous avez des besoins, je le comprends... Adressez-vous aux « hôtesses ». Il y en a une page pleine avec leurs numéros dans les éditions hebdomadaires. Dans le dépliant qu'on vous a remis à votre hôtel, il y a également quelques téléphones. A Munich, vous verrez peu de femmes sur le trottoir, comme chez vous où, vraiment, elles donnent un triste spectacle à la jeunesse. Ici, vous téléphonez, et la fille arrive : vous dînez avec elle et vous l'entraînez au lit. Vous avez l'impression d'en avoir fait la conquête. Et, mon cher, vous ne vous en plaindrez pas. Elles sont rompues à toutes les spécialités... »

Il parlait d'une voix aiguë et Bauman avait le sentiment que toute la salle était à l'écoute.

En même temps que les portions de canard aux cerises, le garçon apporta un flacon de vin et une nouvelle chope pour Weidman.

Le plat était appétissant, mais Bauman n'avait plus faim. Il but une gorgée de vin, qui lui chauffa terriblement le gosier.

Il se produisit alors un événement auquel personne ne s'était apparemment préparé mais que pourtant tout observateur impartial aurait dû attendre : Horst Weidman voulut se lever dans le but, sembla-t-il, de se rendre aux toilettes, désir bien légitime, étant donné la quantité de liquide qu'il venait d'ingérer. Mais, au moment où il se dressait, sa chope à moitié pleine encore à la main, il bascula sur le côté, piqua la tête la première vers la table voisine où il s'écroula, renversant ce qui restait de bière sur le pantalon du costaud.

La scène était carrément grotesque. Bauman, le type et la fille s'étaient levés et ils restèrent silencieux et immobiles pendant quelques secondes. Le type regarda Bauman qui semblait paralysé, puis il se pencha sur Weidman, l'empoigna par l'épaule et le souleva en sifflant entre ses dents quelque chose que Bauman traduisit par « Espèce de porc! » puis, s'adressant à Bauman, il cria presque :

« Est-ce que vous allez nous débarrasser de ce tas de merde? »

Le garçon arriva, se confondit en excuses à droite et à gauche :

« Je connais bien ce monsieur. Il boit un peu plus qu'il ne tient, mais cela peut arriver à n'importe qui...

— Plus qu'il ne tient! jura le grand type. Mais, avec ce qu'il a bu, un Irlandais n'aurait pas tenu le coup! Jamais vu ça, vous m'entendez? Jamais vu ça! Et vous, dit-il à l'adresse de Bauman, vous ne pouviez pas l'empêcher de s'imbiber ainsi? »

Et comme Bauman ne disait toujours rien, cherchant du secours du côté de la fille aux yeux tristes, il explosa :

« Alors vous l'emmenez, ou bien il faut que je le sorte moi-même? »

Dans la grande salle du Franziskaner, le silence était impressionnant. Chacun regardait la scène, attendant la suite des événements. Alors, comme dans une pièce bien structurée, survint le coup de théâtre. Le petit homme rose, qui n'avait pas bougé depuis sa chute sur la table, se redressa soudain de toute sa taille médiocre dont il ne perdait pas un pouce :

« Qui veut que je sorte? s'indigna-t-il. Je n'ai même pas touché à mon canard. D'ailleurs j'ai un invité. »

Et il désigna Bauman d'un geste solennel.

On vit alors arriver du fond de la salle le maître d'hôtel qui s'informa auprès du garçon des raisons de ce tohu-bohu. Puis le directeur de l'établissement surgit à son tour et s'entretint brièvement avec le maître d'hôtel tandis que Weidman braillait :

« Je veux une bière, qu'on m'apporte une bière! »

Le directeur s'avança dans une attitude digne et compassée :

« Herr Weidman, dit-il, vous êtes un habitué de l'établissement, un vieil habitué même. C'est pourquoi je ne vous fais pas jeter dehors. Mais je suis obligé de vous demander de sortir. Il n'est pas exclu que je vous prie de ne plus remettre les pieds ici. C'est une chose à laquelle je vais réfléchir, car c'est la première fois que vous vous conduisez d'une telle façon. Monsieur acceptera sans doute de vous raccompagner — il désigna Bauman du regard.

— Pas question, Herr Direktor, pontifia le petit homme. Comme je le disais, Monsieur est mon invité. Mettez sa note à mon compte, et demandez-moi un taxi. »

Et, comme Bauman faisait mine de se lever :

« Non, non, mon jeune ami, ce canard exige qu'on lui fasse un sort. Si un animal est tué, il doit être mangé. C'est dans l'ordre des choses naturelles. Autrement, nous commettons un crime. »

Herr Weidman se lança alors dans un long discours moral sur la relation abusive de l'homme et de la bête, sur les carnages inutiles et le déséquilibre des espèces.

« N'oublions pas, conclut-il, ce qu'a dit Kant, le plus sage d'entre les sages... »

196

Personne ne devait jamais savoir au Franziskaner ce qu'avait dit Kant, le sage parmi les sages, car la dame du vestiaire interrompit le sermon pour annoncer que le taxi de Monsieur était arrivé.

« Détail matériel et vulgaire, commenta Weidman... (Il se retourna vers Bauman.) Nous reprendrons cette conversation un autre jour. »

Puis il quitta la salle, encadré par le maître d'hôtel et le garçon et suivi par le directeur. Quelques clients éméchés applaudirent le cortège, puis les conversations reprirent là où elles avaient été laissées.

Bauman réalisa seulement à cet instant que ses pieds trempaient dans une humidité suspecte et il ne lui fallut pas longtemps pour réaliser que le liquide répandu sous la table n'était pas seulement de la bière. Le type costaud vit son embarras :

« Excusez-moi, dit-il, si j'ai été un peu brutal avec vous. Je m'appelle Gunther Betz et voici Monica. Voulez-vous vous joindre à nous? Votre soirée sera moins triste. »

Bauman regarda la fille, dont les yeux tristes l'encouragèrent. Le garçon fit le transfert du couvert et la dame des lavabos vint nettoyer les immondices de Herr Weidman.

« Ne pensons plus à cette fâcheuse histoire, dit Gunther en remplissant le verre de Bauman. J'avoue que je me suis emporté un peu vite. »

La fille souriait, Bauman la regardait et souriait aussi. Gunther fit les frais de la conversation. Il n'était plus question de Telemann ou de Kant mais des marchés du bâtiment... Gunther

Betz était entrepreneur et ne savait que parler boutique. La fille écoutait et s'ennuyait. Bauman s'ennuyait mais n'écoutait pas.

Puis ce qui devait arriver arriva : la dame du vestiaire vint prévenir Herr Betz qu'on le demandait au téléphone. Il s'excusa. Bauman et la fille restèrent seuls. Il leva les yeux sur elle et elle soutint son regard.

« Je suis grossier, dit-il, je ne me suis pas présenté. Je m'appelle Bauman, Charles-Philippe Bauman. Quand j'étais petit, certains membres de ma famille m'appelaient Charles, d'autres Philippe. Vous comprenez, je suis né pendant la guerre — il se croyait chaque fois obligé d'expliquer — et la France était divisée jusque dans les familles. »

Elle finit par comprendre et demanda quel prénom il préférait qu'on lui donne.

« Vous pouvez m'appeler Charles. Enfin, ici, vous dites plutôt Karl, avec un C ou un K... Faisons un compromis : appelez-moi Carl!

— Appelez-moi Monica. »

Gunther fut vite de retour. Il avait une mine maussade :

« Fâcheuse nouvelle, dit-il. Il y a eu un accident sur un de mes chantiers de nuit. Je suis obligé de vous quitter.

— Je t'accompagne, dit Monica.

— Non, tu t'ennuierais et de toute manière ta soirée serait gâchée. Terminez votre dîner tranquillement. Je t'appellerai demain au numéro que tu m'as donné... »

Il l'embrassa légèrement sur la joue, s'excusa encore et sortit.

« Cela ressemble un peu trop à un vaudeville, dit la fille quand Gunther fut parti. Votre ami est parti, puis le mien...

— Votre fiancé? demanda Bauman.

— Non, pas mon fiancé. (Elle haussa les épaules.) Pas un parent non plus. Personne, absolument personne! Très franchement, si nous devons dîner ensemble, je préférerais parler d'autre chose. Que venez-vous faire à Munich, Carl? »

Il ne sut pas trop quoi lui dire : démarcheur? prospecteur?

« Nous essayons d'éditer une encyclopédie en langue allemande... »

Elle songea : « La conversation sera peut-être plus drôle qu'avec Gunther. »

Bauman repoussa son assiette de canard.

« Vous n'avez pas faim? Evidemment, la soirée a été plutôt mouvementée. Moi, j'ai un appétit terrible. Je ne mange pas, je dévore. »

Il la regarda engloutir son goulasch. Puis ils demandèrent des « torte ».

« Vous êtes maigre, dit-elle.

— J'ai traversé une période difficile, mais moi non plus je n'ai plus envie d'en parler. »

Il se faisait petit pour ne pas l'effaroucher. Tant qu'elle le dominerait, elle resterait. Il se méfiait du regard douloureux. Il n'avait pas envie qu'elle parte...

« Nous pourrions aller faire un tour, risqua-t-il.

— Pourquoi pas? »

Celui-là ne lui ferait pas de mal, pensait-elle.

Et au moins elle ne serait pas seule. Il voudrait probablement coucher avec elle. De toute manière, s'il ne le lui demandait pas, elle ferait ce qu'il fallait. Il y avait trop longtemps qu'elle attendait...

Gunther, dès qu'il était sorti de la brasserie, avait sauté dans une voiture qui l'attendait à l'angle de Max Joseph Platz. Il y avait un homme au volant, qui avait tout de suite démarré sans échanger un mot avec son passager. La voiture avait dû faire un long détour par Odeonplatz, pour contourner l'îlot piétonnier, puis elle s'était arrêtée dans Maxburgstrasse et l'homme que Birgitt Haas connaissait sous le nom de Gunther Betz avait fait à pied les quelques mètres qui le séparaient d'Ettstrasse. Il pénétra dans l'immeuble par une petite porte, traversa une cour, prit un ascenseur, longea un couloir et emprunta un petit escalier qui le mena jusqu'aux combles. Là, il poussa une porte de chêne dont les gonds n'avaient pas été huilés depuis des années et se trouva dans un local encombré de vieux dossiers poussiéreux et éclairé par une lampe de bureau.

Sur un canapé de velours vert élimé gisait, épuisé, Herr Weidman. Debout, le visage dans l'ombre, se tenait un autre homme.

« Alors? questionna l'homme de l'ombre.

— C'est terminé pour nous, dit Gunther.

— Pas trop tôt, gémit le petit homme rose... J'ai cru que je ne m'en sortirais jamais.

— Vous avez été parfait, dit Gunther, mais vous auriez pu vous abstenir de pisser.

— Je vous en prie, coupa le visage d'ombre.

— Vous n'avez pas l'air de croire que j'ai risqué ma santé... C'est horrible ce qu'on nous force à faire, hoqueta Weidman.

— Ça n'est pas aussi horrible que ce que j'ai dû faire, dit le pseudo-Betz.

— Cette affaire regarde votre police, pas la mienne, dit la voix d'ombre. Il faut bien que vous preniez votre part dans cette affaire. Après tout, c'est votre gouvernement qui nous a appelés à l'aide.

— Sacrée démocratie, gronda le faux Betz. C'était mieux quand on les pendait dans leurs prisons.

— Je vous en supplie, hoqueta Weidman, j'ai envie de vomir.

— Eh bien, vomissez, hurla Betz... De toute manière, vous étiez un ivrogne avant. Mais on s'est servi de moi comme d'une putain!

— Allons, messieurs, dit la voix d'ombre. Vous n'êtes pas payés pour avoir des états d'âme. Je vous rappelle que Fräulein Haas n'en a pas lorsqu'elle fait sauter un 727 avec quatre-vingts passagers dont huit enfants, qu'elle n'en avait pas lorsqu'elle a tiré une balle dans la tête du ministre du Commerce extérieur... Enfin, je vous dis cela pour vous apporter quelque apaisement. Mais, c'est un fait, je ne vous envie pas. »

Il avança d'un pas vers Weidman :

« Pour vous, je suis navré, mais il faudra reprendre contact avec Bauman. »

D'un geste, il apaisa le petit homme qui recommençait à geindre :

« Mais vous n'aurez plus à boire... Enfin pas plus que vous ne buvez d'habitude. Vos cinq litres quotidiens suffiront. Et puis inutile de pisser par terre... Vous êtes déjà assez répugnant comme cela. »

Weidman ne voyait pas le visage de l'homme, mais il pouvait distinguer la tache de graisse dans les chevrons de sa veste de tweed.

Le ciel était tout à fait dégagé et la nuit était piquée d'étoiles lorsque Bauman et Monica quittèrent la brasserie. Il lui proposa de prendre le café aux « Vier Jahreszeiten », mais elle dit qu'elle préférait marcher. Ils descendirent ainsi Maximilianstrasse jusqu'au fleuve, traversèrent le pont et remontèrent la rive droite vers Villa Stuck.

« Je ne suis plus du tout fatiguée, dit-elle.

— Moi non plus. »

Ils s'étaient accoudés au parapet de pierre et regardaient rouler l'eau noire.

« On raconte, je l'ai lu quelque part..., que c'est dans l'Isar qu'on a dispersé les cendres des pendus de Nuremberg, dit Bauman. Je me demande jusqu'où la rivière les a entraînées. Quelque part, ça fertilise un champ et le cultivateur ne sait même pas qu'il fait pousser son blé avec le cadavre de Ribbentrop, de Keitel ou de Streicher... »

Quand il était loin de la ville, son atavisme de paysan alsacien prenait le dessus.

Il la regarda. Elle se taisait et la lune dessinait

sur son visage un autre visage inconnu sur lequel il ne pouvait rien lire. L'image de Madeleine lui fut présente en un éclair, obturant la scène. Mais il l'éloigna de lui comme il éloigna le souvenir de la fille du car. Dans la lumière de la lune, Monica était toute proche. Il posa sa main sur son épaule, qu'il sentit maigre sous sa pression. Elle tourna la tête vers lui.

« Je n'ai pas envie d'avoir une aventure avec vous », dit-elle.

Pourquoi disait-elle cela? Pour lui faire mal? Il avança la main vers sa nuque, qu'il caressa doucement. Elle le laissa faire. Elle pensait : « De toute manière, celui-là ou un autre? Je ne pourrai jamais passer cette nuit seule. » Cette fois, elle se tourna tout entière vers lui. Elle le regardait et ses yeux dévoraient les siens. Il avait envie d'elle et ne le cachait pas.

« Un rien pourrait le casser », songea-t-elle, et elle dit encore :

« J'aime mieux vous prévenir. Avec moi, ça ne dure jamais. Il ne faudra pas essayer de me revoir. »

Il cherchait un mot juste, quelque chose qui ne briserait pas le charme.

Il dit en français :

« Vous êtes précieuse. On a peur de vous briser. »

Elle sourit et il ne sut jamais qu'elle avait pensé la même chose de lui au même moment. Elle s'approcha à le toucher. Il mit ses bras autour de ses épaules et l'embrassa. Des quantités de choses se dénouaient en lui et il resta sans voix, le visage enfoui dans la chevelure de la fille qui donnait des reflets dorés sous la lune.

Elle dit :

« C'était très bon... »

Puis, lui échappant :

« On pourrait aller boire et danser à Schwabing. Il n'est pas tard! »

Maintenant il était prêt à tout accepter. Il aurait dit oui même s'il avait été cinq heures du matin. Elle le prit par la main et ils revinrent vers le pont Maximilien.

Elle tint absolument à payer le taxi, et l'entraîna jusqu'à une sorte de salle à manger de navire à l'enseigne du « Captain Cook » où une dizaine de couples s'énervaient sur la piste. Ils commandèrent de la bière et Bauman se jura qu'il n'en boirait qu'une.

Puis ils allèrent danser. Elle se pressait contre lui et il avait un trac épouvantable. Il y avait si longtemps qu'il n'avait pas fait l'amour... Il serait très mauvais... Elle jouait de tous les mouvements de son corps pour l'exciter. Dans cet état, les hommes devenaient fragiles. Et son orgueil était épargné. Ça n'avait pas été le cas avec Gunther : aucune émotion, aucune chaleur n'émanait de lui : elle avait été obligée de tout faire elle-même... Elle n'aimait pas y penser. Gunther, c'était fini. Elle le lui avait dit ce soir-là et il avait trouvé cela normal. Qu'il soit parti pour une raison ou pour une autre était sans importance. Mais elle portait encore la marque de ses coups.

« Carl, dit-elle, tu ne me battras pas?

— Quelle idée, voyons!

— Je disais cela pour rire. Je ne suis pas très sérieuse. »

Il pensa au contraire qu'elle l'était trop. Elle était pleine de mystère et, quand il ne comprenait pas une fille, il risquait toujours d'en tomber amoureux.

« Tu n'as pas de petite amie?

— Non!

— Tu devrais.

— Non!

— Tu n'as vraiment personne?

— J'avais une femme et un fils... »

Elle ne le questionna pas davantage. Elle n'avait pas envie d'en savoir plus, pour ce qu'elle allait en faire... Une étreinte furtive... De petits services sexuels... Elle se disait : « Tu es déjà assez vénéneuse comme cela. Tu ne vas pas en plus jouer les femmes fatales avec ce garçon. »

« Où allons-nous dormir? dit-elle.

— A mon hôtel, si tu veux.

— Il y a tellement de putains à Munich qu'ils ne feront pas attention... Tu sais, j'ai entendu ce que disait ton ivrogne de copain...

— Tu m'attendras au bar et j'irai prendre la clef.

— Comme tu es prévenant! railla-t-elle. C'est ainsi que tu fais toujours?

— Pardon?

— Avec les putains?

— Je ne monte pas avec les putains... »

Il était furieux parce qu'elle faisait tout pour casser le rêve, pour que ce soit physique et rien que physique.

« Tu m'as dit que tu étais seul... Pas de petite amie... Les hommes ont besoin de faire quelque chose, non? »

Quand ils entrèrent au Bayerischerhof, l'horloge marquait deux heures et il n'y avait dans le hall qu'un jeune homme qui lisait *Die Welt*. Monica alla au bar et Bauman vint chercher sa clef. Un peu plus tard, quand ils prirent l'ascenseur tous les deux, le jeune homme du hall replia *Die Welt*, sortit et se dirigea vers une cabine de téléphone publique.

Gasser reposa le récepteur et regarda Athanase d'un œil mort :

« Voilà, c'est bien parti... Dans trente-six heures, je lâche mon chien... Vous savez, dit-il, cette histoire me fait penser à un événement dont j'ai été témoin lorsque j'étais enfant à Alger peu après le débarquement allié... En quelques jours la ville s'était hérissée de milliers de canons et de mitrailleuses. Comme c'est une ville à étages, on pouvait presque dire qu'il y avait un canon sur chaque balcon. Dans le port même s'étaient ancrés plusieurs croiseurs anti-aériens britanniques et des centaines d'autres bouches à feu étaient disséminées sur les dizaines de navires de l'armada qui attendaient dans la rade leur tour de débarquement. Alors une trentaine de bombardiers allemands venus de Sicile se sont pointés. Je me trouvais sur la place Bugeaud. Un canon quelque part a tiré le premier coup. Et puis toute la ville a paru exploser. Les milliers de canons et de mitrail-

206

leuses tiraient en même temps et toutes les vitres de la ville ont volé en éclats. L'oncle qui m'accompagnait m'entraîna sous un porche d'où on pouvait voir le ciel bleu constellé de petits nuages noirs. Les détonations se fondaient les unes dans les autres en un vacarme ininterrompu tandis que les éclats tombaient comme des grêlons sur la ville. Les uns après les autres, les bombardiers allemands furent abattus. La plupart n'avaient même pas pu franchir la rade et s'étaient écrasés en mer. Cela dura une bonne heure, puis soudain tout redevint silence et les gens sortirent de leurs abris pour regagner leurs domiciles. Ceux qui empruntaient le boulevard face à la mer furent alors témoins d'un spectacle surprenant. Deux appareils allemands avaient survécu au massacre de la D.C.A. et l'on avait lancé sur eux la chasse britannique et ses Spitfire. C'est pourquoi les canons s'étaient tus. Je pense beaucoup à cet hallali aujourd'hui. Birgitt Haas se retrouve pareillement seule avec nos chasseurs à ses trousses...

— Vous devriez écrire des poèmes », ironisa Athanase.

Puis il demanda :

« Qu'est-il advenu des deux appareils rescapés?

— Ils ont été abattus. Les pilotes avaient sauté en parachute. L'un fut tué dans sa descente, l'autre resta accroché à un balcon près de l'Amirauté, et les batteries côtières le criblèrent de balles.

— Je vous souhaite autant de chance avec Haas », dit Athanase en enfilant son pardessus.

Bauman se réveilla avant l'aube. Sa tête lui faisait mal. La lumière était restée allumée dans la salle de bain et, dans la pénombre, il voyait briller le corps de Monica. Elle dormait à plat ventre, la tête enfouie dans la chevelure éparse, le drap complètement rejeté découvrant sa nudité alanguie. Il avança pour la toucher, puis il vit les traces sombres sur le dos et les reins. Il n'y avait pas pris garde dans les moments de griserie qui avaient précédé leur sommeil et il se souvint de ce qu'elle lui avait dit en dansant : « Tu ne me battras pas? »

Il s'approcha d'elle, allongé sur le dos, les yeux fixés au plafond, et il s'en voulut d'avoir gaspillé les merveilleux moments qu'elle lui avait donnés dans la demi-inconscience de son ébriété. Elle bougea et son bras à demi replié tomba sur la poitrine de Bauman. Il ne l'écarta pas mais, au contraire, caressa doucement sa main. Peu après, il se rendormit.

Il ignora toujours qu'il avait couché avec « la femme la plus dangereuse du monde ».

Le jour filtrait à travers les rideaux lorsqu'ils s'éveillèrent. Leurs corps qui s'étaient séparés se rejoignirent et ils firent l'amour avec des gestes somnolents et attendris. Elle lui murmura qu'il avait eu tort d'avoir peur, qu'il avait été très bien et qu'elle était heureuse et détendue.

« Ne mens pas, dit-il.

— Je ne mens pas. Si tu avais été minable, enfin si cela avait été minable pour moi, je te l'aurais dit. Si tu veux, nous aurons une autre fois. Mais je t'ai prévenu : avec moi, ça ne dure pas. Maintenant, tu vas rester bien sagement au lit et moi je vais m'en aller. (Elle l'embrassa derrière l'oreille.) Ne dis rien. Tout était très bon. Je t'appellerai vers sept heures cet après-midi. Tu me diras si tu veux encore de moi...

— Bien sûr que je veux encore de toi, dit-il en souriant...

— Chut! Tu me diras ça ce soir. »

Il passa la journée à courir les librairies du centre et à boire du café pour faire passer sa gueule de bois renouvelée de la veille. Et il pensa tout le temps à Monica. A midi, il mangea une paire de *weisswurst* avec du chou rouge sur lequel il versa de la gelée d'airelle... Il se demanda ensuite pourquoi il avait fait cela, parce que c'était infect. Puis il alla visiter deux autres libraires, qui se montrèrent emballés par cette idée d'encyclopédie et lui tinrent des discours qu'il écouta sans conviction. Ses oreilles résonnaient de citations de Goethe, de Kleist, de Schiller et de Heine, lorsqu'il retourna à l'hôtel.

Weidman avait raison : on ne lui parlait pas beaucoup de Brecht. Pas davantage de Marx, d'Engels ni d'Hegel.

Quand il prit sa clef, le concierge lui remit un message du petit homme rose : *Désolé de ne pas vous avoir trouvé. Avez-vous passé une bonne nuit? Il est d'une importante raison que je puisse vous joindre ce soir vers vingt heures. Soyez à l'hôtel.*

Bauman monta dans sa chambre en pestant contre Weidman et d'une manière générale contre tous les gens qui laissent des messages sans dire où on peut les joindre. Et Chalifert? S'il avait su seulement où joindre Chalifert, il n'eût pas manqué de lui faire sentir combien sa maison d'édition était mal représentée en Allemagne... Weidman avait peur que Bauman ne raconte à Paris le petit scandale du Franziskaner. C'était sans doute cela, « l'importante raison » invoquée dans le message.

Il était un peu plus de cinq heures et il commanda du thé et des gâteaux, pour changer des cafés qu'il avait bus pendant la matinée. Puis il s'allongea et fit le point de son activité depuis deux jours : un rhume de cerveau, douze libraires visités, deux gueules de bois, un esclandre avec un ivrogne cultivé et une nuit avec une fille merveilleuse. « Mon Dieu, songea-t-il, il ne m'est jamais arrivé autant de choses en six mois à Paris. »

L'idée de revoir Monica l'empêchait de réfléchir sérieusement à autre chose. Même le désagrément d'entendre et de revoir Weidman passait au second plan de ses préoccupations. Il se fichait bien à présent que Madeleine couche avec Georges, mais il eut tout de même un petit pincement au cœur en pensant à Jérôme. Il fallait bien que sa mauvaise conscience trouve un repli stratégique.

A partir de six heures il commença à s'énerver. La lecture des journaux du soir l'occupa un instant. Gros titres partout, annonçant l'enlèvement de l'ambassadeur de la R.F.A. à Stockholm. Le rapt était revendiqué par la « Nouvelle Fraction Armée Rouge » et la plupart des journaux discernaient la griffe personnelle de Birgitt Haas dont toutes les polices d'Europe avaient perdu la trace depuis des mois. Le même petit document représentant la jeune terroriste, telle que l'avait saisie le photographe de l'anthropométrie berlinoise peu avant son évasion de la prison de Moabit, était reproduit par la plupart des quotidiens et, Bauman eut beau détailler le petit visage aux cheveux ras, il n'y trouva aucune ressemblance avec Monica Weiss. Pas plus de ressemblance entre Monica et Birgitt qu'entre les photos trouvées plus tard dans la poche de Bauman et la Madeleine qu'Athanase devait rencontrer un peu plus tard...

Dans son bureau de Paris, le vieil homme qui venait de reposer les journaux français envahis par des titres semblables à ceux de leurs confrères allemands soupira :

« Vous ne trouvez pas cocasse, Gasser, que nous soyons les seuls à pouvoir fournir un alibi à Birgitt Haas? Car, à l'heure où tout le monde l'imaginait à Stockholm, nous savons très bien où elle était : dans le lit d'un représentant en encyclopédie, au Bayerischerhof de Munich! »

L'homme de Gasser répondait au nom de code de Gravier. Il avait été recruté à sa sortie de prison, alors qu'il s'apprêtait à cambrioler un magasin d'Etat. Les gardiens qui l'avaient arrêté avaient eux-mêmes appartenu au réseau « Action » et ils rendaient de fréquents services à Gasser. Au lieu de coffrer Gravier, ils lui avaient mis le marché en main : soit tirer dix ans au moins pour récidive, soit accomplir des petits boulots bien rémunérés qui seraient utiles à la collectivité. Gravier se foutait de la collectivité. Mais il avait préféré ne pas retourner en taule. Gasser avait apprécié son sang-froid et il n'avait eu qu'à se féliciter de son efficacité dans toutes les « missions d'appui » qui lui avaient été confiées jusqu'à présent.

Lorsqu'il débarqua à Munich, il ne portait pas la perruque blonde qui devait parachever sa ressemblance avec Bauman.

Il descendit dans un hôtel d'Arnulfstrasse proche de l'Eden où logeait la fausse Monica Weiss. Il était arrivé par train pour éviter qu'une fouille inopinée à l'aéroport ne l'oblige à déballer le matériel un peu spécial qu'il transportait dans la doublure de son manteau et dans un compartiment spécial de son attaché-case.

Il passa les deux jours suivants à repérer les lieux à l'Eden et au Konigshof dans Karlsplatz où Monica Weiss avait retenu une chambre à partir du 22 décembre. Mais on lui avait laissé entendre que tout devait être réglé avant cette date. On était le 12 et il ne se sentait pas pressé par le temps. L'opération avait d'ailleurs été fort bien étudiée sur maquette et il ne lui restait qu'à vérifier l'exactitude des renseignements accumulés. La disposition de l'Eden, avec ses deux ascenseurs dont l'un échappait complètement à la sur-

veillance du personnel et communiquait directement avec le garage souterrain, était idéale.

Il s'y montra deux fois sous l'apparence Bauman. La première, il demanda si Mlle Weiss était
là (il avait attendu de la voir sortir pour pénétrer
dans l'hôtel). La seconde, il ne demanda rien du
tout et monta comme s'il allait rendre visite à
quelqu'un. Il y avait beaucoup de monde dans
le hall, mais il pensa que le concierge l'avait
aperçu.

Au second étage, il inspecta le couloir d'accès
aux chambres 220 et 221. Il vérifia que la chambre
du personnel d'étage était toujours ouverte
comme on le lui avait dit, que le personnel en question y était rarement et il repéra le clou où était
accroché le « passe » des femmes de ménage. Il
en prit l'empreinte à la cire. Il s'assura que le 221
était toujours libre (en fait, il avait été loué et
payé d'avance par les soins de la police allemande). Une seule chose l'ennuyait : les deux
ascenseurs étaient situés du même côté du couloir par rapport aux deux chambres. C'était un
détail, mais qui par la suite devait jouer un rôle
important dans la déconfiture qui attendait les
services d'Athanase.

Il était un peu plus de sept heures lorsque
Monica appela Bauman au Bayerischerhof. Elle
semblait gaie et Bauman jubila lorsqu'elle lui
proposa un dîner rapide et une nuit « relaxante ».
Elle employa le verbe *freilassen*. Il répondit qu'il
n'était pas du tout hostile à ce genre de relaxa-

tion, et elle pouffa en disant qu'il était bien un *französisch Schwein* [1].

Pour le dîner rapide, il regretta de ne pouvoir lui fixer un rendez-vous avant huit heures et demie, car il attendait un coup de téléphone. Il lui parla des « importantes raisons » de Weidman.

« Ne dis pas trop de mal de lui. C'est bien parce qu'il s'est conduit d'une manière aussi grotesque que nous nous sommes rencontrés. »

Par la suite, elle devait regretter amèrement de n'avoir pas tiré tout de suite les conclusions possibles d'une telle constatation.

Bauman baignait à ce moment dans l'euphorie, une euphorie dont Monica était peut-être moins responsable que les drogues du docteur Haudry. Mais le très provisoire démarcheur en encyclopédie ne se posait pas non plus de questions et ne voyait toujours pas que son histoire était écrite par quelqu'un d'autre que le destin.

Quand Weidman l'appela, il ne lui cacha pas combien il avait été choqué par son comportement de la veille et le petit homme rose se confondit en excuses.

Il s'était, dit-il, trop surmené ces derniers temps et il lui arrivait de flancher en fin de journée. Il invoqua la fragilité de son système nerveux mais, comme la plupart des ivrognes, ne fit aucune allusion à l'alcool. A l'entendre, c'est tout juste s'il connaissait le mot « bière ». Pour se faire pardonner, il proposait à Bauman de l'em-

1. Littéralement : cochon français.

214

mener dîner dans un coin tranquille. « Merci, eut envie de répondre Bauman, j'en suis revenu, de vos coins tranquilles », mais il se contenta de dire la vérité, enfin une partie de la vérité :

« J'ai un autre rendez-vous.

— Ah! ah! fit la voix soudain narquoise... Est-ce que par hasard vous auriez trouvé une demoiselle de compagnie?... Allons, allons, pas de secret pour l'ami Weidman... Figurez-vous que j'ai téléphoné ce matin au Franziskaner... Oui, je leur devais des excuses... Eh bien, d'après ce qu'on m'a dit, la soirée ne se serait pas trop mal terminée pour vous?

— Vous me surveillez, ma parole, dit Bauman d'un ton neutre.

— Tout de suite les grands mots... Non, je m'intéresse à vous. Vous m'êtes sympathique... Et, si cette fille peut faire votre bonheur à Munich, j'en suis le premier heureux. Seulement, il ne faudrait pas que cela vous détourne de votre mission. »

Bauman n'en revenait pas : non seulement l'ivrogne se montrait indiscret, mais il se permettait de lui donner des leçons de conscience professionnelle.

« Ce sont là les « importantes raisons » qui m'ont contraint à attendre votre appel? demanda-t-il sèchement.

— Non, mon cher ami. Je souhaiterais simplement vous rencontrer demain matin vers neuf heures pour faire le point des contacts que vous avez pris ces derniers jours... Je suis obligé de faire mon rapport... (Bauman eut envie de lui demander s'il ferait entrer ses heures de bar dans son compte rendu d'activités.) Donc demain, impérativement, à la gare centrale. Vous me trouverez à la cafétéria. J'ai l'habitude d'y prendre mon petit déjeuner. Je trouve regrettable que notre grand Goethe n'ait pas connu cette époque. Il aurait aimé ce lieu où, sous la lumière irréelle du néon, se prépare la « cuisine de sorcière » dans ces chaudrons bouillonnant d'étranges mixtures baptisées *Tagesgericht* [1]... »

Weidman était en pleine crise d'expansion culturelle... A son lyrisme envahissant, Bauman comprit que le petit homme rose avait dû ingurgiter quelques chopes...

« Oui, cher ami, quand je regarde les visages défaits que l'aube jette dans cette gare inhumaine, effondrés de fatigue et de misère, je les entends murmurer avec Faust : « Y a-t-il dans cette cui-
« sine quelque breuvage qui puisse m'ôter trente
« ans de dessus le corps? »

— Il me semble qu'en ce qui vous concerne, ce breuvage, vous l'ayez découvert, coupa Bauman, agacé.

— Oh! jeune homme, vous êtes bien cruel, et sans respect pour ma génération...

— Je vous rappelle que j'ai un rendez-vous!

— Ah! oui, la Fräulein... Eh bien, bonsoir, et n'oubliez pas, demain matin, neuf heures! »

Monica devait attendre Bauman dans un petit café de Haidhausen, près du « quartier français »

---

1. Plat du jour.

de Munich, ainsi baptisé parce que rues et places portent les noms de villes françaises souvent liées à quelque carnage « historique » : Bazeille, Gravelotte, Sedan, ou de territoires que les deux pays ont alternativement occupés : Eisasser (Alsace) et Lothringer (Lorraine).

Bauman avait songé s'y rendre à pied, mais le ciel s'était couvert et un vent glacial balayait Promenadeplatz. Il s'en fut donc à pas pressés vers Marienplatz, où il prit la première rame en direction de l'Ostbahnhof de l'autre côté de la rivière. Il descendit une station avant, à Rosenheimerplatz. Quand il émergea, une pluie froide tombait en bruine et il longea les murs pour éviter d'être trempé. Il trouva rapidement le café, mais ne vit pas Monica. Il fut surpris, car il se croyait en retard. Il commanda un Coca-Cola et tua le temps en regardant les derniers clients vider leurs chopes. Il pensa à Weidman, aux ivrognes du Hofbraühaus et aux millions de litres de bière ingurgités chaque semaine dans la seule ville de Munich...

Puis il constata qu'il était neuf heures et que le patron faisait sa caisse. Il commençait à s'inquiéter sérieusement lorsque le téléphone sonna sur le comptoir. L'homme quitta sa caisse et décrocha. Puis il fit un signe en direction de Bauman :

« Herr Bauman? »

Bauman entendait mal la voix de Monica :

« Je t'attends au Drei Rosen, dans Rindermarkt (elle ne pouvait pas lui expliquer qu'elle devait prendre certaines précautions pour ses rendez-vous). J'ai été retenue un peu tard et je ne serais jamais arrivée avant la fermeture de ton bistrot. »

Il aurait pu lui dire qu'il s'agissait de « son » bistrot. Mais il était trop content et soulagé aussi parce qu'il avait craint de ne pas la revoir. Il promit d'être là très vite, régla son verre et affronta de nouveau la pluie qui, maintenant, charriait de petits morceaux de glace fondue. Il ne tarderait pas à neiger.

De nouveau, S-Bahn jusqu'à Marienplatz où les parapluies avaient éclos. Bauman mit dix minutes à dénicher Monica dans la brasserie bourdonnante. Ça n'avait vraiment rien d'intime, mais Monica avait l'air heureuse. Et Bauman, naïvement, crut qu'il était pour quelque chose dans ce bonheur. S'il avait pu deviner que la joie qui égayait le visage douloureux de la fille était en rapport avec les nouvelles qu'il venait de lire dans la presse allemande, le monde se serait peut-être ouvert sous ses pieds, mais il aurait surtout souffert d'une déception sentimentale.

On ne pouvait pas reprocher à la fille de lui avoir menti sur le chapitre des sentiments, mais il n'avait pu s'empêcher de se mentir à lui-même. Qu'espérait-il? Qu'il la ramènerait dans ses bagages, qu'elle sortirait de son mystère pour lui livrer quelque chose de la vraie Monica? La vraie Monica n'existait pas. Il n'y avait qu'une vraie Birgitt qui passait le temps comme elle pouvait en attendant qu'on l'arrête ou qu'on la tue.

Il n'était qu'un homme parmi ceux qu'elle avait rencontrés au cours de ces derniers mois, oubliant pour quelques heures dans leurs étreintes la peur qui la talonnait et la haine qui la rongeait. La plupart avaient respecté le contrat. Mais Carl était le genre de garçon à tenter d'inclure une clause supplémentaire, une clause unilatérale, bien sûr, au dernier moment. Il faudrait qu'elle lui explique comme une mère explique à son enfant qu'il va devoir aller à l'école tout seul comme un grand. Et en même temps elle ne pouvait s'empêcher d'éprouver pour lui une tendresse particulière.

Il s'était tellement épuisé à l'attendre, son cœur avait battu si fort pendant leur étreinte, qu'il s'était endormi tout de suite après.

« Pauvre Carl, songeait-elle, en regardant son visage endormi, tu n'as jamais grandi. Pourquoi faut-il que le destin — elle ne pouvait pas connaître la part minime qu'allait jouer le destin dans cette histoire — t'ait fait rencontrer une fille comme moi. »

Elle avait pensé se lever tôt, s'habiller sans bruit et s'enfuir comme un rat d'hôtel pour éviter les questions, mais elle estima que ce serait lâche et puis elle était obligée de reconnaître qu'il était discret, qu'il ne l'avait interrogée ni sur son âge, ni sur son métier, ni sur les marques qu'elle portait sur le dos. Les gens du service d'Athanase qui savaient à quoi s'en tenir auraient suggéré, bien sûr, que Bauman n'agissait pas par délicatesse mais par indifférence.

Il apparaît à ce stade du récit que personne dans cette affaire ne voulut prendre Bauman pour ce qu'il était : un être banal qui rêvait de choses peu banales et qui n'aurait jamais dû apprendre dans quelle aventure extraordinaire on l'avait embarqué.

Ce sont les bonnes intentions qui perdent les gens et font échouer les opérations les mieux pensées. Il y avait bien sûr dans cette affaire une part d'impondérable que les services d'Athanase n'ignoraient pas, mais, comme tout avait marché jusqu'à présent selon leurs désirs, ils imaginaient que le plus difficile était déjà fait.

En fait, la belle mécanique qu'ils avaient construite commença à dérailler lorsque la fausse Monica renonça à abandonner son petit ami sans lui dire adieu. Elle poussa même la délicatesse jusqu'à lui faire l'amour une dernière fois, « afin, pensait-elle, qu'il ne soit pas frustré trop cruellement dans une de ces pulsions physiques qui viennent aux hommes le matin ». Ce serait mieux, croyait-elle, de le quitter rassasié, même si elle ne prenait aucun plaisir à cette ultime étreinte. Mais ça ne lui évita pas la classique scène de rupture avec ses « pourquoi » et ses « comment ». Le « parce que je ne veux plus » de Monica ne satisfaisait pas Bauman. Il ne consentit à se taire qu'après s'être suffisamment ridiculisé. Alors, il ne quitta plus des yeux sa tasse de café et Monica s'en fut avec le sentiment d'avoir terminé cette affaire plutôt « salement »...

Les médicaments du docteur Haudry jouèrent-ils un rôle important dans le comportement de Bauman au cours des quelques secondes qui suivirent le départ de la fille, c'est ce qu'Athanase se demanda souvent par la suite. Le Bauman qu'il avait connu, celui dont ils avaient entendu les jérémiades sur les bandes d'écoute, serait probablement resté prostré toute la matinée à pleurer sur son infortune. Mais son attitude déjoua tous les calculs de nos stratèges. Haudry attribua plus tard les démarches inconsidérées de Bauman ce matin-là à l'abus d'alcool qu'il avait fait les jours précédents.

Dès que Monica eut refermé la porte, Bauman, donc, se précipita sur ses vêtements, qu'il enfila à une rapidité dont il fut lui-même stupéfait. Puis il sauta dans un ascenseur et fut assez heureux (ou malheureux, tout dépend du point de vue auquel on se place) pour atteindre le trottoir au moment où le loden vert et le bonnet jaune de la fille disparaissaient dans Karmeliterstrasse. L'homme chargé de suivre Haas avait déjà engagé sa propre filature, si bien qu'il ne vit pas Bauman traverser en courant Promenadeplatz.

Il avait déjà assez de peine à ne pas perdre de vue sa cible, car la neige qui tombait depuis le matin gênait terriblement son travail. Bauman, lui, ne prenait aucune précaution. Comme tout individu agissant sous le coup de la passion, il se souciait peu de passer inaperçu. De toute manière, lorsqu'il s'engagea dans Promenadeplatz, il avait plutôt du retard à combler. Il ne prit pas garde à la neige, glissa sur les rails du tramway et s'affala au milieu de la chaussée alors qu'un convoi arrivait. Le conducteur freina à temps et mit le nez dans la bourrasque pour injurier le piéton imprudent, mais Bauman s'était déjà relevé et avait repris sa course.

Quand il atteignit Karmeliterstrasse, il n'avait

plus que trente mètres de retard sur la fille et il estima que c'était la bonne distance à tenir pour ne pas se découvrir. L'agent chargé de suivre Haas le précédait de dix mètres, mais de l'autre côté de la rue, et Bauman ne prit jamais conscience de son existence. Il n'avait d'yeux que pour la petite tache verte et jaune qui se déplaçait sans hâte dans le rideau de neige...

Il était un peu moins de neuf heures lorsque Gravier quitta son hôtel d'Arnulfstrasse et se dirigea vers la gare souterraine, son attaché-case à la main. Il gagna les toilettes, s'enferma dans une cabine, et en un tournemain coiffa la perruque blonde qui dissimulait ses cheveux bruns, fit glisser sur ses paupières les verres de contact bleus et prit ainsi l'apparence Bauman.

Il acheta ensuite une brioche à un comptoir de pâtisserie, but une tasse de café et attendit que le minuscule « bip-bip » glissé dans sa poche intérieure émette un sifflement aigu qui signifiait : « Haas a quitté le Bayerischerhof et se dirige vers vous. »

Gravier remonta donc à la surface et gagna l'Eden, où il entra discrètement, profitant des départs matinaux qui accaparaient l'attention du personnel de la réception. Il tourna à gauche, évitant la banque du concierge, et descendit trois marches de l'escalier qui conduisait au garage. De là, il pouvait surveiller l'ascenseur. Il attendit que la cabine eût déposé un client pour s'y glisser. Avant de sortir au deuxième étage, il s'as-

222

sura qu'aucun garçon ou femme de chambre ne se trouvait dans les environs et que le chariot des petits déjeuners n'était pas à l'horizon. Il passa devant la loge du service d'étage, dont la porte était entrouverte, comme d'habitude, mais ne vit personne à l'intérieur. Il gagna alors la chambre 221, dont il ouvrit la porte à l'aide de la clef que les services spéciaux allemands lui avaient fabriquée d'après l'empreinte prise par ses soins deux jours plus tôt. Il entra, dégagea rapidement la targette qui fermait la première porte de communication avec le 220. Puis il retourna dans le couloir, pénétra de la même façon au 220 et déverrouilla l'autre porte de communication. Il put ainsi aller et venir d'une chambre à l'autre, vérifiant qu'aucun obstacle ne lui couperait la retraite. Il referma ensuite les deux portes de communication, mais cette fois sans pousser les targettes, et, après avoir soigneusement essuyé poignées et verrous, il se retira dans la salle de bain du 220, où il disposa ses affaires. De l'endroit où il se trouvait, il pouvait surprendre Haas par-derrière. Comme la plupart des chambres d'hôtel modernes, le 220 comportait en effet un couloir qui conduisait de l'entrée à la chambre proprement dite, et la porte de la salle de bain s'ouvrait sur ce couloir. Il suffirait donc à Gravier de se planquer derrière cette porte, pour se trouver en bonne position lorsque Haas gagnerait sa chambre.

Il ouvrit son attaché-case, en sortit des gants de chirurgien, une bandelette de coton finement tissé, un couteau à manche d'ébène noir dans lequel Bauman aurait pu reconnaître celui dont il s'était servi pour découper la viande de Chalifert et une boîte de plastique blanc qu'il posa sur la tablette au-dessus du lavabo, puis il s'assit sur un tabouret et attendit.

Il était un peu plus de neuf heures quinze lorsque son « bip-bip » lança un nouveau signal qu'il traduisit par : « Haas est entrée dans l'hôtel. »

A la cafétéria de la gare centrale, de l'autre côté d'Arnulfstrasse, Weidman commençait à s'impatienter. Il avait terminé son petit déjeuner et commandé sa première bière de la journée, « pour se mettre en train », disait-il.

Malgré l'heure matinale, la « cuisine de sorcière » fumait déjà dans les bacs des comptoirs et se mêlait à la puanteur de la bière. Weidman y était accoutumé depuis trente ans qu'il noyait son ennui dans la fraîche amertume du houblon : « Silence, petit Weidman, les bras croisés, petit Weidman, vous avez parlé, petit Weidman, deux heures de retenue... » Ainsi avaient passé les années de collège, puis celles d'université : la culture alignée... Goethe, Schiller... Il aimait Goethe, mais pas Schiller... Toutes les souffrances de Werther lui allaient droit au cœur, mais il s'était sauvé du suicide par la bière. Voilà... C'était la réponse : Werther ne buvait pas assez du breuvage amer qui permet de tout oublier...

Ni Betz ni le Français ne pouvaient le comprendre. Il était au-dessus d'eux. N'avait-il pas joué la comédie merveilleusement? Il aurait été

224

aussi bon que Bernard Wicki ou Hans Albers dans *Le Baron de Munchhausen*...

Mais peut-être le méprisaient-ils à cause de ses origines... Quand, au cours de cette fâcheuse soirée au Franziskaner, Gunther l'avait pris au collet et l'avait traité de « cochon », n'avait-il pas pensé « cochon de juif »? Il avait pourtant essayé de leur faire oublier qu'il était juif : « Juste un quart, messieurs, par ma mère, mais je suis catholique! » Quand il était allé voir un médecin à la suite d'une dépression, il était tombé sur un militaire retraité de la Wehrmacht : « Pas de souci à vous faire, vous n'êtes pas plus juif que moi. » Il ne lui avait pas dit : « Un juif est un homme comme un autre », ou : « Qu'est-ce que vous me racontez là? » Il avait tout de suite envisagé la chose comme de la vérole : « Juste un quart! » Donc guéri! Il était allé consulter ailleurs : « Allons, mon vieux, on n'a jamais vu un juif mourir de ça... Croyez-moi, une bonne cuite... » Ils n'avaient pas changé depuis trente ans. La bière, ça aide... Ça doit aider, puisque c'est allemand, puisque ça aide les vrais Allemands à vivre... « Je ne cherche pas, messieurs, leur aurait-il dit, à vous expliquer pourquoi je bois... Je ne le sais même pas... » Personne ne le pouvait pour lui... Et ce matin-là, tandis qu'il s'apitoyait sur lui-même, la situation lui échappait. La seule chose qu'il put faire fut de téléphoner au Bayerischerhof, où on lui confirma que Bauman était sorti depuis vingt minutes.

Weidman fit un rapide calcul : même s'il avait effectué le parcours à pied, il aurait dû être là. Alors il perdit son sang-froid et commanda presque en criant une autre bière, qu'il but goulûment pour se calmer, puis il sortit de la cafétéria pour partir à la recherche de l'agent français. Malgré toute sa crainte, ses supérieurs dirent qu'il avait agi sagement, mais ils constatèrent que son initiative n'avait servi à rien. Ainsi, jusqu'au bout, Horst Weidman resta persuadé de l'inutilité de son action dans cette affaire. Tout au plus se consola-t-il en songeant qu'il s'était fort bien comporté au Franziskaner, même si, par la suite, Betz lui avait reproché d'avoir pissé par terre.

Weidman trouva l'agent français à l'endroit convenu, en haut de l'escalier mécanique de la gare d'où il pouvait surveiller l'entrée de l'Eden.

Il y avait vu pénétrer l'homme de Gasser à l'heure prévue, puis la fille dix minutes plus tard et, ce qui lui avait beaucoup moins plu, le colporteur d'encyclopédie qui la suivait à trente mètres. L'homme des services secrets allemands chargé de pister Haas était trop près pour avoir vu Bauman. Instinctivement, l'agent français fit fonctionner son « bip-bip », mais l'agent allemand ne le perçut pas. Il resta planté devant l'hôtel, laissant entrer Bauman sans réagir.

Weidman arriva à ce moment-là et c'est sur lui que se déversa la mauvaise humeur du Français.

« Et vous êtes ivre par-dessus le marché! » gronda l'homme...

Weidman était peut-être éméché, mais il comprit tout de suite en quoi la situation s'était détériorée.

« Vous allez me récupérer cet abruti, ordonna le Français. Et discrètement. »

Il ajouta avec mépris :

« Si vous êtes encore capable de faire quelque chose convenablement. »

Il avait dit ça pour l'humilier et le petit homme rose, se redressant, lui lança :

« N'essayez pas de faire retomber sur les autres votre propre incapacité. »

Puis il rota.

L'agent français préféra arrêter les frais et Weidman lui tournant le dos s'en fut vers l'hôtel. De toute manière, il était trop tard...

Quand une opération relativement bien montée capote si près du but, les agents tentent de laisser le moins de plumes possible dans l'affaire, d'effacer le maximum d'indices. Encore faut-il disposer d'un laps de temps raisonnable... Mais, dans le cas de Birgitt Haas, l'échec alla au-delà de tout ce qu'on avait pu imaginer et toute l'opération se retourna contre les services allemands et français, pour aboutir précisément à l'opposé du but recherché, qui était la liquidation discrète de la fausse Monica.

Pourtant, l'homme de Gasser travaillait vite et bien. Quand Birgitt Haas entra dans sa chambre, il la laissa passer devant la porte entrouverte de la salle de bain, puis il bondit sur elle, lui plaqua la main gauche sur la bouche et de la droite pratiqua une petite prise qu'on lui avait apprise au camp d'entraînement du service « Action », quelque part dans les Landes. Avec deux doigts, pinçant un point précis de la nuque il plongea sa victime dans l'inconscience, pour quelques secondes. Il enleva dans ses bras le corps inerte et le jeta sur le lit. Il retourna alors dans la salle de bain, où il prit son matériel. Il commença par enfiler ses gants de chirurgien puis entreprit de déshabiller la fille. Comme elle remuait doucement, il prit la bande de toile et la bâillonna, sans toutefois prendre la précaution de lui bourrer la bouche d'étoupe, ce qui aurait dû étouffer le moindre gémissement. Quand la fille fut complètement nue, il la retourna et, après lui avoir entravé bras et jambes avec ses bandes de coton, il entreprit de frotter vigoureusement les plaies qu'elle portait sur son dos pour les rajeunir. La fille se tordit et le bâillon étouffa à peine un hurlement de douleur. Puis Gravier prit la petite boîte blanche qu'on lui avait confiée à Paris : c'était une valise isothermique qui renfermait deux ampoules de liquide séminal. Il les retira de leurs alvéoles et opéra ainsi qu'on le lui avait appris. Il travaillait comme un médecin, méticuleusement, ne mettant aucun sadisme dans les gestes qu'il accomplissait. Il allait passer à la phase finale de l'opération et la fille, qui avait repris connaissance, le regardait avec terreur. Elle s'attendait à tout mais pas à cette odieuse mascarade. Elle vit le couteau et comprit comment elle allait mourir. C'est alors que le « bip-bip » de Gravier émit un son aigu. Presque au même moment, on frappa à la porte et Birgitt rassembla toutes ses forces pour hurler. Le bâillon l'étouffa à moitié, mais il en demeura comme une plainte qui passa à travers la porte.

Gravier savait ce que signifiait l'appel radio qu'il venait de recevoir : il devait battre en retraite. Il lui restait quelques secondes pour tuer Haas. Il fallait faire vite. On lui avait dit : « Pas moins de dix impacts sur tout le corps. Frappez au cœur tout de suite pour qu'elle ne crie pas! » Mais les coups redoublaient à la porte et maintenant des voix se faisaient entendre :

« Ouvrez, mademoiselle Weiss, si vous n'êtes pas bien...

— Monica, c'est moi, Carl, Carl Bauman! »

Alors l'homme de Gasser comprit que tout était fichu. Il ne pouvait tuer la fille alors que Bauman se trouvait de l'autre côté de la porte avec une autre personne. Pendant un moment, il resta indécis, puis il ramassa ses affaires, les fourra dans l'attaché-case et, abandonnant la fille, s'élança vers la chambre 221, dont il verrouilla la porte de communication. Pour fuir, il lui fallait attendre que Bauman et l'autre type soient entrés au 220. Il entendit une autre voix dire : « Appelez la police », puis des pas précipités et quelqu'un qui annonçait : « J'ai le passe. » Il y eut ensuite un bruit de serrure ouverte et encore un brouhaha de pas, de voix et même un cri étouffé.

C'était le moment. Il bondit hors de la chambre 221 et courut aussi vite qu'il put vers l'escalier, dont il dévala les marches par volées de quatre, manquant s'écraser sur le palier du premier étage.

Une femme de chambre qui sortait de la cabine

d'ascenseur à cet instant fut bousculée par l'ouragan et se trouva projetée contre le mur d'en face, qu'elle heurta violemment, se brisant l'épaule. Ses hurlements alertèrent le service d'étage et les clients de plusieurs chambres firent irruption sur le palier.

La situation se détériorait et Gravier n'eut que le temps de réduire sa vitesse et de prendre un air dégagé pour se mêler aux gens du hall, qui l'interrogèrent.

« Je ne sais pas ce qui se passe, dit-il, je crois qu'on a attaqué une femme de chambre... »

Et il se dirigea vers la sortie d'un pas mesuré, croisa Weidman qu'il ne connaissait pas, puis l'agent allemand qu'il n'avait jamais rencontré non plus.

L'agent français estima qu'il était temps pour lui d'intervenir et, quittant son observatoire du haut de l'escalier mécanique, il descendit et traversa la rue juste au moment où dans le lointain retentissait la corne à deux tons de la police.

Devant l'Eden, un garçon gesticulait au milieu des clients :

« Le type blond avec l'attaché-case, c'était lui. Vous l'avez laissé partir!

— De quel côté se dirigeait-il? demanda un grand gaillard solennel qui devait être de la reception.

— Excusez-moi, intervint l'agent français, je me trouvais là effectivement lorsqu'un homme répondant à ce signalement est sorti et s'est dirigé vers le haut de la rue.

— Très bien, dit le grand type, attendons la police. »

Le pire fut évité ce jour-là, parce que la voiture de la police fut bloquée quelques minutes par une collision qui venait de se produire à l'angle de Schutzenstrasse et Bluntschlistrasse entre une motocyclette et un camion. Le conducteur de la moto gisait au milieu de la chaussée et les flics de la patrouille durent lancer un appel et attendre qu'un autre véhicule soit venu les relayer pour continuer leur route. Ces quelques minutes furent le seul sursis qu'obtint Athanase dans cette affaire lamentable. Elles permirent à Weidman de récupérer Bauman.

IV

SUITE DU RECIT D'ATHANASE

LES services allemands — je devine derrière eux
la personnalité peu sympathique de Steinhoff —
ont été très cruels à notre égard. Les mots les
plus durs ont été suggérés à la presse d'outre-
Rhin. On nous a notamment accusés d'avoir
conduit cette opération « de manière artisanale ».
Il est certain que nous ne sommes pas familia-
risés avec la tuerie en gros, ai-je fait répondre
sèchement à Steinhoff par les quelques journalistes que nous manipulions en France à l'époque.
Car ni Steinhoff ni moi-même n'avons jamais été
au devant de la scène. Nous nous sommes inju-
riés copieusement par journaux interposés.

Les déclarations faites par Birgitt Haas, les
lettres qu'elle écrivit de sa prison et la publicité
que leur donnèrent ses avocats ne nous ont pas
arrangés non plus. La presse la mieux disposée
à notre égard a parlé du « sadisme » des services
français, de la « barbarie dégradante » de certaines méthodes. On a oublié le comportement
équivoque de l'agent allemand Betz dans cette

affaire et omis de dire que ce personnage répugnant était entré dans la vie de Birgitt Haas bien avant notre intervention.

Tant de versions ont été données de ces événements qu'il me semble difficile aujourd'hui de ne pas rétablir la vérité, si pénible soit-elle pour nous tous.

Notre objectif était donc de supprimer Haas en laissant la police munichoise enquêter librement et conclure à un crime passionnel (pudique manière de qualifier la mascarade « sexuelle » à laquelle se livra l'agent Gravier). Nous devions lui donner la possibilité de remonter à un coupable possible, c'est-à-dire à Charles-Philippe Bauman, colporteur en encyclopédie, dont, par les soins de nos services, Birgitt avait fait connaissance quelques jours plus tôt.

Il semble que nous ayons mal apprécié le caractère profond de Bauman puisqu'il se présenta au concierge de l'Eden alors que l'action décisive de notre agent était déjà engagée contre Birgitt Haas.

Il ne s'agissait pas du concierge en chef mais d'un remplaçant qui, oublieux de la nécessaire discrétion de sa charge, profita de l'occasion pour se mettre en avant et faire des déclarations à la presse et à la télévision. Bauman, dit-il, était arrivé dans un état d'excitation intense. Il avait demandé le numéro de la chambre de Fräulein Weiss (c'est sous ce nom qu'il connaissait Haas) et s'était précipité vers l'ascenseur.

Le garçon du deuxième étage, qui était occupé à récupérer les plateaux du petit déjeuner, avait vu Bauman frapper vigoureusement à la porte du 220. Puis, quelques secondes plus tard, le personnage en question était venu vers lui en disant : « J'ai entendu du bruit et un cri étouffé comme un gémissement dans la chambre de Fräulein Weiss. Je crains qu'on ne soit en train de la brutaliser » (Bauman avait fait évidemment le rapprochement entre le gémissement entendu et les marques découvertes sur le dos de Haas).

Le garçon avait alors accompagné Bauman et tous deux avaient frappé à la porte du 220. Il avait entendu nettement une sorte de sanglot étranglé. Il avait demandé à Fräulein Weiss si elle avait besoin d'aide et Bauman avait crié son nom à travers la porte. Comme il n'entendait toujours que des gémissements étouffés, le garçon avait donc décidé de faire usage de son « passe ». Ils avaient découvert ainsi la jeune femme nue, bâillonnée et entravée, et le garçon qui avait l'œil déclara aux journalistes qu'il ne faisait aucun doute que Fräulein Weiss avait été souillée par son agresseur.

Le garçon, qui répondait au nom d'Hugo, avait crié à une femme de chambre d'appeler la police. Lui-même s'était précipité vers le téléphone de la chambre pour prévenir le portier et la direction.

Bauman, avait raconté Hugo, était resté pendant tout ce temps auprès de Fräulein Weiss et l'avait délivrée de ses liens, puis il l'avait recouverte d'un drap et il était resté assis un petit moment près de la fille, dont il caressait la main. Il semble que Fräulein Weiss n'ait rien dit mais qu'elle ait pleuré.

« Je suis ensuite revenu auprès de l'homme qu'on dit s'appeler Bauman, avait encore déclaré le garçon. Et, comme je m'apprêtais à lui demander si cette personne était son amie ou sa fiancée, un petit personnage au visage rose a fait irruption dans la pièce. Il était manifestement ivre et roulait à droite et à gauche. Son haleine puait la bière. J'allais le jeter dehors lorsque je m'aperçus qu'il connaissait ce monsieur Bauman. Il lui parla d'une voix autoritaire, comme un supérieur à son subordonné. Il s'exprimait en français et je n'ai pas bien compris ce qu'il disait. Il était question d'un rendez-vous manqué. Et l'homme rose a dit : « La police va venir, il ne faut pas que vous soyez « mêlé à cela. » Et il a tiré M. Bauman par la manche. Puis ils sont partis et M. Bauman a jeté un dernier regard à la jeune Fräulein et j'ai vu qu'il pleurait aussi. »

Je reproduis ces déclarations dans le style pompeux que leur donna un officier de police de Munich. Il semble que le malheureux Hugo ait dû répéter une dizaine de fois son récit aux journalistes, bien sûr, mais aussi à divers fonctionnaires de la sécurité. A la fin, il était devenu à demi fou, ne sachant plus quelle corrélation établir entre tous les pantins qui animaient sa déposition. Il racontait un film dont il n'avait pas compris le scénario.

Il dit encore que la Fräulein avait tenté de se lever et de s'habiller, qu'il l'en avait dissuadée parce qu'elle devait témoigner devant la police, mais elle avait l'air au contraire de vouloir déguerpir avant l'arrivée des inspecteurs. Puis le directeur de l'hôtel était arrivé et, voyant Fräulein Weiss faire ses bagages, lui avait demandé de rester pour que sa déposition puisse être enregistrée. Elle s'était mise alors très en colère et avait hurlé contre le directeur : « Vous n'êtes même pas capable d'empêcher un tueur d'entrer dans les chambres pour attendre les clients et vous voulez que je reste une minute de plus dans votre établissement de fous! »

Il est probable qu'elle serait partie à la barbe du directeur si les policiers n'étaient arrivés enfin. Ils insistèrent pour que Fräulein Weiss les accompagne jusqu'à l'« Inspektionen ». Ils ne la retiendraient que quelques instants. Mais, même si elle ne tenait pas à porter plainte, ce qu'ils lui déconseillaient formellement, elle devait au moins leur donner le signalement de l'homme qui l'avait violentée...

Haas avait donc été contrainte de suivre les policiers, sachant vers quel inéluctable destin elle s'acheminait ainsi.

Ce qu'on a dit de Weidman est profondément injuste, car, en dépit des apparences qu'il avait mises contre lui, il s'est comporté dans cette pénible aventure avec intelligence et efficacité. Je n'approuve pas la manière méprisante avec laquelle il fut traité aussi bien par les agents français et allemands sous le prétexte qu'il buvait et

236

j'ai souvent été tenté de voir dans leur attitude une pointe de racisme, parce qu'il était juif et qu'il n'y a pas beaucoup de juifs dans les services secrets européens depuis qu'Israël a battu le rappel des meilleurs éléments.

Weidman, dès qu'il eut récupéré Bauman, réussit à l'extraire de la mêlée générale avant l'arrivée de la police, et c'était déjà une part importante de la stratégie de repli, l'autre ayant été assurée par notre agent Delaunay qui avait couvert la retraite de Gravier.

Mais il apparut très vite qu'il avait commis une imprudence en mettant en présence Bauman et Delaunay, qu'il connaissait sous le nom de Chalifert.

La première réaction de Bauman lorsqu'il vit Chalifert planté de l'autre côté de la rue fut la surprise, mais Weidman qui l'observait dit qu'il avait deviné dans le regard soudain ironique de Bauman une compréhension nouvelle des événements, comme si l'esprit endormi de notre colporteur s'était soudain éveillé.

La manière dont il aborda Delaunay en lançant : « Tiens! Votre main n'est plus bandée, monsieur Chalifert », inquiéta tout de suite notre agent, qui comprit que la situation était devenue incontrôlable lorsque, baissant les yeux, il vit ce que Bauman tenait dans sa main : le couteau à manche d'ébène!

« Je crois, dit Delaunay, que nous vous devons une petite explication. »

Je ne sais ce qu'aurait donné cette « petite explication » ni ce que notre agent aurait pu raconter à Bauman. Mais l'explication n'eut pas lieu, car, tout en parlant, Delaunay avait mis la main à sa poche pour y prendre son étui à cigarettes et Bauman se méprit sur ce geste. Il flanqua une grande bourrade à Delaunay et se précipita en direction de la gare. Notre agent ne pouvait décemment se lancer à sa poursuite et il n'avait aucun droit de s'assurer de sa personne. Que pouvait-on reprocher à Bauman? D'avoir abandonné son travail de démarchage auprès des libraires de Munich? Cela n'était pas sérieux. Par chance, l'agent allemand chargé de surveiller Haas se trouvait à quelques mètres, attendant les consignes de Delaunay.

L'agent en question s'appelait Winkler et nous devons nous en tenir à son témoignage pour les événements qui suivirent, car, sur un geste de Delaunay, il se lança sur la trace de Bauman. C'était une excellente « fileuse » et il ne lâcha jamais son gibier jusqu'à la fin.

S'il faut en croire le rapport qu'il rédigea pour la police secrète allemande et qui nous revint passablement tripatouillé, Bauman commença par faire du lèche-vitrines du côté des magasins qui sont installés à l'intérieur et dans les sous-sols de la gare. Il visita un grand bazar et Winkler eut toutes les peines du monde à ne pas le perdre dans la cohue des veilles de fête. Puis il retourna vers la gare après s'être assuré qu'on ne le suivait pas, en quoi il se trompa. En fait, il ne cherchait dans la foule que les deux personnes qu'il imaginait attachées à sa perte : Weidman et l'homme qu'il connaissait sous le nom de Chalifert. Son esprit n'était donc pas aussi éveillé que l'avait cru Weidman.

Au bureau de renseignements, il s'attarda à un guichet, mais Winkler ne put savoir ce qu'il demandait.

Quand Bauman quitta la gare, il semblait assuré de quelque chose, car sa démarche était plus décidée. Dehors, c'était de nouveau la tourmente de neige et, dans le journal qu'il acheta au bas des escaliers mécaniques, Winkler lut qu'on annonçait un temps exécrable sur l'Europe continentale pendant les prochains jours.

Bauman n'était pas aussi idiot que le croyait Winkler, car il sauta dans le Strassenbahn 21 à la station de Bahnhofplatz et descendit un quart d'heure plus tard à la station de Schlöss Nymphenburg, ce qui obligea Winkler à prendre des risques, car peu de gens descendaient à cette station fréquentée surtout par les touristes, assez rares en cette saison. Bauman ne prit même pas la peine de regarder autour de lui pour repérer un éventuel suiveur, mais il se dirigea d'un pas tranquille vers le parc de Nymphenburg qui, en hiver, est bien le lieu le plus glacial de Munich. Bauman, plié en deux sous la bourrasque de neige qui balayait les pelouses, s'avança au milieu des énormes corbeaux qui hantent mystérieusement ce domaine des rois de Bavière où le cinéaste Alain Resnais avait tourné jadis *L'Année dernière à Marienbad*. Winkler mentionna ce détail dans son rapport pour faire croire, j'imagine, qu'il avait de la culture.

Les corbeaux recroquevillés par le froid ne faisaient même pas l'effort d'un battement d'aile et ressemblaient, toujours d'après Winkler, à ces horribles céramiques dispersées dans les jardins des banlieues prolétariennes.

Le récit de Winkler exprimait assez qu'il entendait se revaloriser par rapport à la médiocrité de sa tâche. C'est pourquoi nous fûmes tentés de mettre en doute le lyrisme abusif dont il entourait les faits.

Toutefois Winkler ne s'était pas trompé sur l'essentiel : Bauman avait attiré un suiveur éventuel dans un lieu suffisamment vaste et dépouillé pour qu'il se démasque.

Heureusement pour nous, Winkler en avait vu d'autres et il ne s'émut pas d'une telle stratégie. Au lieu d'aller vers Bauman, il lui tourna le dos et s'en fut vers une taverne qui faisait face à la station de tramway. Il y entra, s'installa devant une bière forte et, à travers les vitraux dorés, regarda Bauman se geler inutilement sous la neige.

En l'occurrence, Winkler se révéla non seulement bon psychologue mais fin stratège, car Bauman perdit sa méfiance et gagna un rhume dans cette entreprise. Winkler avait commandé un taxi, qu'il fit attendre dans la cour de la taverne tout en restant bien au chaud. Il but ce qu'il fallait de bière jusqu'à ce que Bauman retourne à l'arrêt du tramway.

C'est à partir de ce moment que notre colporteur commença à manifester un certain épuisement physique. Tandis qu'il attendait le tramway, il éternua plusieurs fois et fut pris d'une quinte de toux. Winkler avait montré sa carte de police au chauffeur de taxi, qui ne mit donc aucune objection à suivre le Strassenbahn qui ramenait Bauman vers le centre de la ville.

Il était un peu plus d'une heure de l'après-midi lorsque le tramway et le taxi se retrouvèrent devant la gare centrale. Je pense, comme Winkler, que Bauman avait tiré ses plans dans les quelques secondes où il avait pressenti la vérité. Winkler attribua cela à l'instinct de conservation. Pour ma part, j'ai toujours pensé que les drogues du docteur Haudry y avaient été pour quelque chose. Il est certain, en tout cas, que le comportement de Bauman nous échappait désormais et Winkler fit preuve d'une grande patience et d'une grande endurance au cours des heures qui suivirent.

Si Bauman avait traîné si longtemps dans et hors de la gare, c'est parce qu'il n'y a que trois trains directs pour Strasbourg chaque jour au départ de Munich. Le premier avait déjà quitté la gare depuis deux heures lorsque Bauman s'était décidé à prendre la fuite. Il avait donc attendu le second jusqu'à une heure cinquante-huit.

Winkler prit un billet jusqu'au terminus et en fut quitte pour guetter sur le quai à chaque station. Le temps était de plus en plus froid et la neige tombait maintenant en flocons moelleux qui couvraient le sol de plusieurs centimètres.

Bauman était installé à quatre compartiments de celui de Winkler et le malheureux agent fut obligé de monter la garde debout dans le couloir, feignant l'ennui et grillant cigarette sur cigarette.

De temps à autre, Bauman mettait le nez dans le couloir et venait se dégourdir les jambes. C'est ainsi que Winkler s'aperçut qu'il souffrait de troubles respiratoires Appuyé à la barre de la fenêtre, les bras tendus, la tête inclinée vers le plancher du wagon, il faisait un de ces exercices qu'on enseigne aux asthmatiques.

Winkler pensa alors qu'il pouvait se risquer à prendre contact avec son « client » puisqu'il y avait prétexte à lui porter secours.

C'est un point qu'on ne manqua pas de discuter plus tard tant à Paris qu'à Bonn lorsque Winkler fut mis sur la sellette et ses patrons voulurent lui faire admettre qu'il avait entrepris cette démarche auprès de Bauman parce qu'il en avait marre de rester debout dans le couloir du wagon et qu'il préférait poursuivre le voyage assis à côté de Bauman. On m'a raconté que son interrogatoire avait duré une journée et une nuit et que le pauvre Winkler avait été traité sans ménagement. Il n'était pas question, bien sûr qu'il ait pu ressentir de la sympathie pour un homme qui souffrait. Cette hypothèse ne fut même pas envisagée par ses chefs. Ils se foutaient éperdument de Bauman, mais ils ne pouvaient admettre qu'un de leurs agents, dressé par quelque vieux spartiate de la survivance nazie, ait cédé à une faiblesse physique. Pour les sentiments, ils n'imaginaient même pas qu'on pût en éprouver.

Je crois que Winkler finit par leur dire ce qu'ils voulaient entendre.

« Voulez-vous qu'on vous donne un peu d'air? » demanda Winkler à Bauman en faisant mine de tirer la glace.

Mais Bauman remua la tête négativement.

« Il fait trop froid dehors, dit-il entre deux inspirations douloureuses. Et puis ça ne servirait à rien... C'est le chat!

— Le chat?

— Oui, j'ai mis trop de temps à m'en apercevoir. Il y a là-dedans — il montra de la main son compartiment sans même se retourner — une femme avec un chat dans un panier...

— Allergie? demanda Winkler... Je vois. Eh bien venez dans mon compartiment, il y a de la place et je ne fume pas. »

Il savait que Bauman voyageait sans bagage, parce qu'il n'avait jamais osé retourner à son hôtel, mais il proposa de les prendre. L'autre, bien sûr, admit qu'il n'en avait pas.

Le train entra en gare de Stuttgart à dix-sept heures avec presque une demi-heure de retard sur l'horaire : un épais rideau de neige voilait la ville et des ténèbres blanches noyaient le ciel. Bauman s'était étendu sur un front de banquettes libres, tentait de reprendre son souffle, mais ses bronches déjà irritées par le rhume qui le minait depuis plusieurs jours et que son escapade dans le parc de Nymphenburg avait aggravé offraient un terrain privilégié aux allergènes et l'œdème ne se résorbait pas. Par moments il était pris de violentes quintes de toux qui le secouaient et le laissaient exsangue, le front inondé de sueurs abondantes.

Winkler était inquiet de la tournure que prenait cette crise. Il tenta de nouer un semblant de conversation avec son « client » dans l'espoir de le détendre, mais il semblait que le mal soit trop avancé.

Bauman ayant manifesté l'intention de prendre une de ses pilules roses tranquillisantes, Winkler se dévoua pour aller chercher de l'eau au wagon-bar.

Quand le train traversa Karlsruhe, la neige continuait à tisser sa toile blanche sur la nuit et Bauman avait retrouvé son calme, même s'il respirait toujours avec la même difficulté.

Winkler et lui tentèrent d'énoncer quelques banalités. L'expérience nous a appris que, dans un train, les voyageurs échangent des points de vue mais rarement des confidences. Anonymes ils se sont connus, anonymes ils se sépareront. Winkler voulut s'intéresser au mal dont souffrait Bauman, mais ce dernier ne l'encouragea pas. Vraisemblablement, cet asthme était une vieille maladie qui lui revenait épisodiquement pour lui rappeler qu'il était poussière et retournerait en poussière. C'est à peu près la seule chose que Winkler tira de lui, mais cela suffit à déterminer chez l'agent allemand un sentiment de compassion dont il ne se serait pas senti capable.

« Voulez-vous que je tente de trouver un médecin? Il y en a peut-être un dans le train.

— Je crains que cela ne serve à rien, répondit

Bauman, car il ne trouverait pas ici le médicament qui pourrait me soulager.

— Vous vous arrêtez à Strasbourg? demanda Winkler.

— Non, à Colmar! »

Winkler risqua :

« J'y passe aussi... »

Puis, prudemment, il précisa :

« Mais je vais un peu plus loin... Si vous le désirez, à Strasbourg, je sortirai vous acheter votre médicament. Vous n'aurez qu'à me dire de quoi il s'agit.

— Un nébuliseur de salbutamol... Mais c'est inutile, on ne vous en délivrera pas sans ordonnance.

— Oh! je me débrouillerai bien, dit Winkler.

— On voit bien que vous ne connaissez pas les pharmaciens français, souffla Bauman... Ils laisseraient un malade crever devant leur boutique plutôt que de risquer des ennuis avec le ministère de la Santé... »

Comme le ministre de la Santé de l'époque était une femme qui probablement n'avait pas de problème respiratoire, ils trouvèrent un terrain d'entente pour dire du mal des femmes. Winkler, qui était cocu depuis si longtemps qu'il avait renoncé à s'en plaindre, conclut qu'il n'y avait aucune chance de vaincre la terreur que cette terrible femme-ministre inspirait aux apothicaires et il partit à la recherche d'un médecin. Il en trouva un dans la quatrième voiture de première classe. C'était un médecin allemand, qui rédigea sans maugréer une ordonnance prescrivant le médicament indiqué par Bauman.

« Mais, dit-il, si c'est toujours cette bonne femme qui gouverne la Santé en France, les pharmaciens ne voudront jamais reconnaître l'autorité d'un médecin allemand sur un médicament français...

— Je m'arrangerai », dit Winkler en se confondant en remerciements.

A Kehl, lorsqu'on franchit la frontière, le train avait rattrapé son retard et avec un peu de chance, Winkler pensait qu'il trouverait une pharmacie ouverte.

Effectivement, il était un peu moins de sept heures du soir lorsque le convoi entra dans Strasbourg. La neige avait disparu du ciel, mais il en restait cinquante centimètres entre les rails.

Winkler se comporta correctement vis-à-vis de nos services, puisqu'il téléphona deux fois à notre agent-relais de Munich au cours de l'heure d'attente qu'il passa à Strasbourg, la première pour nous dire que la destination finale de Bauman était Colmar et s'inquiéter de l'état de santé de son client, la deuxième pour savoir quelles étaient « nos intentions à son égard ». Il s'exprima de manière confuse au cours de ce deuxième appel, si bien que nous ne sûmes pas bien s'il avait voulu parler de nos intentions à l'égard de Bauman ou de Winkler. C'était un détail grammatical qui pouvait avoir son importance par la suite dans la mesure où Winkler craignait d'être engagé plus avant dans cette affaire.

Notre agent lui répondit qu'il allait s'informer

246

auprès de Paris et le pria de rappeler lors de son arrivée à Colmar.

Entre-temps, Winkler avait fait l'expérience des pharmaciens français. L'ordonnance délivrée par le médecin allemand ne leur paraissait pas franche. Winkler, en colère, leur expliqua que le malade était en train d'étouffer dans la salle d'attente de la gare et que, si on ne lui vendait pas le nébuliseur demandé, il allait faire un esclandre au commissariat spécial. Il avait affaire à une jeune pharmacienne qui battit en retraite, mais exigea que Winkler laisse son nom, son adresse, exhibe son passeport. Il retourna à la gare en maudissant cette « idiote de ministre de la Santé ». Et dans son rapport il se livra plus tard à quelques digressions peu courtoises à l'égard de la France : *un pays,* écrivit-il, *où il faut montrer ses papiers pour acheter de l'aspirine.* Bauman l'accueillit comme le Samaritain et se jeta sur le vaporisateur avec une hâte maladroite. Visiblement, pour lui, la victoire de Winkler sur le ministre français de la Santé était un événement purement et simplement miraculeux. Fut-ce l'effet du médicament ou le choc produit par la vision inespérée de la drogue, mais les problèmes respiratoires de Bauman semblèrent se résoudre rapidement dans les minutes qui suivirent. Son souffle redevint presque normal et il s'assoupit. La crise l'avait épuisé et Winkler fut obligé de le soutenir pour le conduire au train de Colmar.

Le compartiment était mal chauffé et la neige fondue qui dégringolait du toit des wagons formait des aiguilles gelées sur les vitres. A peine installé dans un coin de banquette, Bauman s'endormit. Dehors, Winkler pouvait deviner la plaine d'Alsace redoutable et froide, sous sa mince couverture blanche. Il se demandait comment il allait prendre ses distances par rapport à Bauman...

Je dois reconnaître que la connection avec les services allemands laissait à désirer, car personne n'avait prévu qu'un agent de la République fédérale serait contraint par les circonstances à travailler sur le territoire français. Winkler, en effet, n'avait logiquement de comptes à rendre qu'à Munich et à Bonn, et les informations qu'ils donnaient nous étaient ensuite retransmises.

Là-bas, Delaunay avait eu trop à faire pour récupérer Gravier et assurer sa couverture jusqu'à la frontière, et il avait laissé les cousins germains agir à leur guise. Steinhoff ayant tenu à rester dans l'ombre jusqu'au bout, ses subalternes et les hommes de la garde frontière assurèrent le relais. Comme ils utilisaient le standard du ministère de l'Intérieur, toutes leurs communications étaient transmises d'abord à Cavana, qui, officiellement, avait la direction du service, car j'avais mis pour condition de mon retour aux affaires mon « inexistence administrative ». Si bien qu'il fut difficile de savoir immédiatement pourquoi l'appel de Winkler depuis Strasbourg n'avait pu parvenir jusqu'à moi et s'était arrêté à Cavana.

C'est donc Cavana qui avait donné consigne à Munich de liquider Bauman. Plus tard, on me demanda quelle autre consigne j'aurais donnée, et je fus obligé de convenir qu'il n'y avait pas d'autre solution.

Les Allemands, bien sûr, maugréèrent. Mais ils avaient déjà Haas sur les bras, une Haas que la police fédérale n'allait pas tarder à démasquer sous le déguisement de Monica Weiss. Alors ils transmirent le message à Winkler.

Pour le reste, je suis obligé de revenir à la lettre de démission de l'agent Winkler, telle qu'elle nous fut transmise par Steinhoff. Je n'y ai pas changé un mot :

J'avoue que la décision de mes supérieurs me surprit et m'indisposa. Les actions ponctuelles n'ont jamais été de mon ressort et, bien que j'aie été à deux ou trois reprises engagé dans des opérations délicates, je n'avais jamais été sollicité pour exécuter une de ces missions généralement confiées à des professionnels. Le fait que mes supérieurs n'aient pas disposé de « solution de rechange » ne me consolait guère.

En admettant même que j'aie été entraîné à ce genre de mission, je me trouvais sous-équipé. Je ne portais sur moi que mon arme de service, un pistolet Walther PPK 7,65 parfaitement inutilisable à longue distance, ce qui signifiait que je devrais abattre Bauman presque à bout portant.

D'autre part, si peu renseigné que j'aie été sur l'affaire je n'ignorais pas qu'il s'agissait d'un pigeon. Une chose est de liquider un agent ennemi qui sait à quoi il joue, une autre est de tuer froidement un inconnu rencontré dans un train, et qui me paraissait plutôt inoffensif.

Bauman était encore d'une faiblesse extrême lors de notre arrivée à Colmar et je m'étais proposé de l'accompagner jusqu'à Turckheim, où il avait de la famille. Il m'avait remercié avec émotion... Comme il avait faim, il m'avait proposé de dîner avec lui dans une brasserie de la ville : « Je vous dois bien cela, m'avait-il dit. Je vous ai donné bien du tracas. » Il était, je crois, assez honteux d'avoir été surpris dans ce moment de faiblesse. Mais je le mis à son aise en lui racontant que je savais très bien de quoi il s'agissait, que son mal était suffisamment grave pour qu'on lui portât aide. C'est à ce moment que je me suis excusé pour aller téléphoner.

Quand je suis sorti de la cabine, avec mes ordres et la tête sens dessus dessous, j'ai marqué une pause avant de retourner à la salle d'attente où j'avais laissé Bauman. Si je devais le tuer, il fallait que l'on me voie le moins possible en sa compagnie. J'avais déjà commis une imprudence, je le reconnais, en me montrant avec lui dans le train.

Je retournai donc dans la salle d'attente, où je retrouvai Bauman bien éveillé.

Je le remerciai de son invitation mais prétextai que l'ami auquel je venais de téléphoner me retenait à dîner et que je ne pouvais refuser son invitation.

« Je croyais, dit-il, que vous alliez plus loin que Colmar. »

Il n'était pas aussi abruti que je l'avais pensé.

« C'est exact, dis-je, mais j'avais également cet ami à Colmar et je désirais le voir. »

250

C'est une chance qu'il n'ait pas demandé où habitait cet ami, car j'ignorais tout de la géographie de Colmar. Mais il n'avait probablement aucun soupçon depuis cet après-midi de Nymphenburg où il s'était assuré que personne ne le suivait.

Je lui proposai donc de dîner dans un restaurant de son choix. Je viendrais le rejoindre au dessert.

Il approuva.

« J'ai vraiment très faim, dit-il avec son air malheureux. J'ai envie de faire un bon repas. Est-ce que cela vous ennuierait de m'accompagner jusqu'à la rue Stanislas? La Rôtisserie Schillinger s'y trouve. C'est un excellent restaurant. Quand j'étais petit, je passais souvent par là. Ça sentait bon, et j'ai entendu dire qu'ils étaient spécialisés dans les soupes de grenouilles... »

Je n'avais aucun goût pour ce genre de cuisine, mais je ne le lui dis pas. Je me contentai de lui faire une contre-proposition : j'allais dans une autre direction, dis-je, mais j'appellerais un taxi qui le conduirait là-bas; je le rejoindrais plus tard.

Il hocha la tête et m'accompagna jusqu'à la porte de la salle d'attente. Au moment de le quitter, je lui promis de l'appeler chez Schillinger si j'étais retardé et pour la première fois je lui demandai son nom. Il hésita : « Je m'appelle Foulquier » (j'appris par la suite que c'était le nom de sa mère), dit-il, et j'en conclus qu'il se méfiait de moi. Mais peut-être dans de telles circonstances se serait-il méfié de tout le monde.

Je n'avais pas du tout envie de le tuer et je lui laissai le maximum de chance. Quelque chose de silencieux en moi lui criait : « Ne va pas chez Schillinger, oublie tes grenouilles, change d'avis en chemin et rentre chez toi. » Le pire, me dis-je lorsque le taxi l'eut emmené, serait qu'il change effectivement d'avis et qu'il n'aille finalement chez Schillinger que pour honorer le rendez-vous que je lui ai donné. Je ne dois pas être un bon agent, car un bon agent, selon mes chefs, ne se poserait pas de pareilles questions.

La neige tombait maintenant depuis une heure et, avec mon trenchcoat et mes chaussures basses, je n'étais vraiment pas équipé pour une telle soirée. La première chose que je fis fût de consulter le plan de la ville et de repérer la rue Stanislas, puis d'inventer une adresse imaginaire à mon imaginaire ami. Je la choisis assez éloignée, de l'autre côté du Champ-de-Mars, dans la rue Schlumberger. Puis j'allai au buffet, commandai un sandwich et un demi. Tout en mâchonnant ce pain flasque et gorgé d'eau que les Français appellent « baguette », je constatai que je préparais le meurtre de Bauman avec autant de soin que si quelqu'un d'autre avait eu à l'exécuter. Pourtant l'idée d'appuyer sur la détente de mon arme tout près de la tête d'un homme me répugnait. Comment m'y prendrai-je? Viendrai-je vers lui souriant, marcherai-je à ses côtés en lui parlant, puis sortirai-je mon arme sans qu'il s'en aperçoive et... Non, je pensai finalement qu'il vaudrait mieux pour moi ne plus le revoir, lui téléphoner seulement, lui donner rendez-vous quelque part et puis venir par-derrière et l'abattre d'un coup...

La bière était tiède et fade. Je commandai un café pour en faire passer le goût, mais le café ne valait pas mieux.

Il y avait trois quarts d'heure que j'avais quitté Bauman. Je me levai, réglai ma note et me dirigeai vers la cabine téléphonique. Je cherchai dans l'annuaire le numéro de Schillinger. Après tout, me disais-je tandis que le timbre retentissait dans l'écouteur, peut-être n'y avait-il plus de place quand Bauman est arrivé... Peut-être n'est-il plus là!

Puis quelqu'un décrocha :

« Rôtisserie Schillinger, j'écoute. »

Je demandai M. Foulquier. On me répondit immédiatement :

« Oui, tout de suite, ce monsieur a laissé son nom en arrivant. »

« L'idiot, pensai-je, il fait vraiment trop bien tout ce qu'il ne faut pas. »

Il se passa dix secondes, puis j'entendis sa voix :

« Vous avez un empêchement? dit-il.

— Non, rien qu'un contretemps... Mon ami m'a retenu à dîner... Comment sont les grenouilles?

— Oh! dit-il, on vient tout juste de me servir...

— Voulez-vous venir nous rejoindre tout à l'heure? Vous prendrez le café avec nous. Mon ami a une voiture et nous vous accompagnerons à Turckheim.

— C'est gentil, mais je ne sais pas si... »

Je le coupai :

« Mais oui, voyons, ça n'est pas trop loin, de

l'autre côté de la place. Au 12 de la rue — j'eus un mal terrible à me rappeler le nom — Schulberger.

— *Schlumberger?*

— *Oui, c'est cela. (J'avais failli gaffer.) Au troisième on ne peut pas se tromper... »*

Et je raccrochai avant qu'il ait pu me demander une précision embarrassante.

Je regardai ma montre. Il était un peu moins de neuf heures... Je lui avais encore laissé une chance : il pouvait demander un taxi...

Je m'acheminai lentement vers la rue Stanislas sous les flocons qui, en fondant, dégoulinaient dans mon cou. J'avais emprunté le chemin qui longe la voie ferrée et j'attrapai la rue plus vite que je ne l'avais imaginé, si bien que je me cognai presque à l'enseigne de la Rôtisserie Schillinger.

Il y avait tout à côté un parc de stationnement où je trouvai à me dissimuler dans un coin d'ombre, à l'abri d'une corniche. Je m'étais préparé à faire le poireau pendant une heure. En fait, je n'eus presque pas à attendre, car Bauman sortit au bout de dix minutes. Sans doute n'était-il pas allé au-delà de sa soupe de grenouilles. Il regarda le ciel, d'où les flocons, maintenant plus espacés, dégringolaient lentement en traversant la lumière des lampadaires. Puis il se dirigea vers l'avenue de la République, qui conduit à la place Rapp. Je lui laissai prendre vingt-cinq mètres d'avance, j'ôtai le cran de sûreté de mon pistolet et m'avançai derrière lui. Je n'avais pas pensé non plus que la place serait si proche et que je me trouverais si vite à découvert. Je lui abandonnai donc de

254

nouveau une vingtaine de mètres pour mettre entre lui et moi la statue de Rapp. Ce général français donna, dit-on, du fil à retordre à nos armées. Il ignorait qu'il rendrait un jour service à un agent allemand. Je me déplaçai ainsi dans le profil de la statue et entre quelques voitures bâchées de neige. Bauman atteignait les premiers arbres du Champ-de-Mars lorsque je hâtai le pas dans sa direction.

Tous les gestes que je faisais m'étaient odieux. J'avais le sentiment d'être totalement dédoublé. Une moitié de moi faisait ces gestes que l'autre moitié détestait. Je n'étais plus qu'à dix pas de Bauman. La neige étouffait tous les bruits et il ne pensa jamais à se retourner. Je levai mon arme. Mais, avant que je l'aie tendue à bout de bras, un sifflement cravacha du côté de mon oreille droite, suivi d'un choc, et dans le même temps Bauman sembla emporté par un ouragan. Son corps fit un bond et se retrouva jeté au sol, où il dessina son empreinte profondément dans la neige molle.

J'ai suffisamment la pratique du 22 Long Rifle pour savoir que celui qui venait de tuer Bauman était muni d'un silencieux.

Car, je sus tout de suite qu'il était mort et, avant même de me pencher sur son corps, je me retournai mon « PPK » toujours en main pour faire face à l'agresseur. A travers le rideau de neige qui limitait la visibilité à une cinquantaine de mètres, je vis une silhouette disparaître dans la direction d'où nous venions. Je serais incapable de dire s'il s'agissait d'un homme, d'une femme, grand ou petit, gros ou maigre, mais, à la vitesse *à laquelle il se déplaçait, je peux affirmer qu'il n'était pas vieux. Je regardai alors Bauman. Il était tout à fait mort. La balle l'avait atteint derrière l'oreille, d'où coulait un filet de sang noir.*

Quelques éclats de rire brisèrent au loin le silence de la place et je battis en retraite.

Comme j'atteignais le coin opposé de la place Rapp, j'entendis une clameur plus forte et je compris que quelqu'un avait dû apercevoir le corps.

Je me hâtai vers la gare. Je ne souhaitais plus qu'une chose : téléphoner à mon correspondant de Bonn, me décharger de cette pénible affaire et rentrer par le premier train de nuit.

Cavana et moi nous trouvions dans un petit jet du Groupement de liaison interministériel en direction de Colmar lorsqu'un radio nous apprit en une belle métaphore que « le paquet avait été expédié », ce qui signifiait en clair que Bauman avait été liquidé.

Je jetai un œil vers Cavana, dont le regard me dit : « Qu'auriez-vous fait vous-même? » sans que cela ait un rapport avec la température extérieure, nous étions en froid depuis le coup de téléphone qu'il avait reçu des Allemands un peu après huit heures et auquel il avait répondu dans le sens que nous connaissons.

Il savait parfaitement que je ne donnerais jamais le contrordre lorsqu'il m'informa lui-même de sa décision quelques minutes plus tard.

Après cela, il y eut un grand branle-bas dans la

maison. Je téléphonai au ministère de préparer un jet. Nous nous envolerions de Villacoublay pour Colmar dans trente minutes exactement. Je n'eus que le temps de prendre ma valise de secours que je garde toujours sous clef dans une armoire de mon vestiaire. J'entrai dans le bureau de Cavana sans frapper.

« Vous venez avec moi, dis-je.

— Bien, monsieur! »

Il avait repris sa distance administrative.

Renonçant pour un soir à la clandestinité dont j'aimais m'entourer, j'avais pris une voiture officielle du ministère qu'escortaient deux motards et les Parisiens purent se demander ce soir-là vers quel destin urgent fonçait ce cortège aux avertisseurs hurlants.

Chemin faisant, je calculai le temps qui nous restait comme on grappille dans les familles pauvres pour arriver à la fin du mois. Neuf heures : ils sont à Colmar. Neuf heures dix : Winkler a téléphoné à Munich et on lui a transmis les consignes de Paris. Neuf heures quinze : il dresse ses plans pour abattre Bauman. Au fond, j'espérais toujours arriver à temps pour prendre la situation en main « personnellement ». Que ferais-je de Bauman? Je n'en savais rien... De toute manière, nous arriverions trop tard...

Cavana était plutôt sombre.

Puis le radiogramme nous parvint et je crus lire un soulagement sur le visage de mon adjoint.

Le pilote vint nous dire qu'on avait dégagé spécialement pour nous la piste de Colmar-Houssen.

Il était neuf heures vingt-cinq lorsque nous nous posâmes, neuf heures trente-cinq lorsque nous entrâmes dans Colmar : Bauman était mort depuis dix minutes.

Oui, je me souviens de cette soirée-là, de cette nuit glaciale, de ce retour à Paris et de cette autre soirée passée à tourner les pages du dossier que Cavana — toujours ses métaphores idiotes — avait baptisé « Desperado »... Le thé était froid et infect. j'en avais demandé d'autre au gardien de nuit, un homme fatigué et comme moi proche de la retraite. Je fus presque tenté de m'excuser en voyant ses mains tremblantes déposer la tasse sur mon bureau... Je regardai la pendule électrique. Déjà huit heures. Je téléphonai à ma femme que je rentrerais tard lorsqu'un planton apporta un pli du département « chiffre ». La dépêche venait de Bonn : *on* (j'imagine qu'il s'agissait de Steinhoff) s'y étonnait que nous ayons sollicité son aide alors que nous avions accompli nous-mêmes la besogne...

Je commençai par me frotter les yeux. Mais, quels que soient les ravages que les ans avaient pu causer à mon cerveau, je compris vite : je décrochai donc mon téléphone et appelai Cavana au rapport. Il venait de rentrer chez lui, me dit-il, et se préparait à se mettre au lit. Je l'imaginai en pantoufles et pyjama et je faillis lui rire au nez, mais je conservai mon ton le plus sec pour lui intimer l'ordre d'arriver dans l'heure. De nouveau, il s'effaça en un servile : « Oui, monsieur! »

En attendant son arrivée, je donnai quelques coups de fil à Munich et à Strasbourg. Quand je fus suffisamment renseigné, j'attendis en buvant le reste de mon thé.

Cavana n'était peut-être pas frais, mais son apparence extérieure était aussi soignée que s'il était venu à son bureau n'importe quel matin. Sans même lui dire bonsoir, je lui jetai sous les yeux la dépêche de Bonn...

« Vous avez une explication? »

Il fronça les sourcils puis marqua un étonnement feint :

« Mon Dieu, dit-il, je pensais que cela allait de soi...

— Et quoi donc?

— De mettre un de nos agents sur l'affaire... Voyez-vous, quand les services allemands m'ont dit que Winkler n'était pas le spécialiste rêvé pour ce genre de mission, je me suis dit qu'il y avait un risque que vous n'aimeriez pas prendre. »

Le petit salaud s'y entendait pour me mettre dans le coup...

« La vérité, Cavana, hurlai-je... Cessez de vous payer ma tête.

— Gasser a été d'accord avec moi!

— Vous mentez!

— Non, monsieur... Lui et moi, nous avons toujours su que vous feriez tout pour sauver Bauman. »

Laissai-je voir que j'étais effondré par le coup qu'il m'avait porté? Je ne sais. Sans doute mon visage conserva-t-il cette impassibilité automatique je me suis entraîné à lui donner en période de catastrophe. Mais je ne trouvai plus de mots pour m'exprimer...

« Gasser avait un homme en Alsace, poursuivit Cavana. Il l'a mis sur l'affaire dès l'appel de Winkler à Strasbourg. Il les attendait à Colmar... Je n'ai jamais cherché à vous cacher la chose... De toute manière — il montra la dépêche des yeux — vous deviez l'apprendre tôt ou tard et l'autopsie dira que la balle qui a tué Bauman ne provenait pas du pistolet de Winkler mais d'un 22 Long Rifle... »

L'idée me torturait : Gasser et lui avaient comploté dans mon dos. Gasser? Avait-il été blessé dans son amour-propre parce que son homme avait raté Haas à Munich?

« Gasser? » murmurai-je.

Cavana me regarda avec des yeux nouveaux, des yeux que je ne lui avais jamais connus... Personne jusqu'à présent n'avait eu pour moi ce léger mouvement de paupière, cette inclinaison ascendante des sourcils qui marquent la pitié et la compassion...

« Ne jugez pas mal Gasser, dit Cavana avec une douceur inattendue. Il éprouve un grand respect pour vous, monsieur, et — il hésita — beaucoup d'affection. Il a voulu vous éviter une décision pénible... Nous avions deviné que... vous vous intéressiez à Bauman... »

La boucle était bouclée.

La gorge nouée, je grondai :

« Foutez-moi le camp! »

Il s'en alla en baissant la tête, une tête de vainqueur qui se déguise en vaincu par pitié pour l'adversaire...

Je passai mes mains sur mon visage, palpant les rides et les bouffissures. L'âge de la retraite, pensai-je... Ils ont voulu me le faire sentir. Sans doute ont-ils raison...

En enfilant mon pardessus, je sentis quelque chose de dur dans ma poche. C'était le paquet des objets trouvés sur Bauman.

Le lendemain, les journaux annoncèrent l'arrestation de Birgitt Haas. Et les éditions suivantes publièrent un communiqué de la « Nouvelle Armée Rouge » exigeant sa libération en échange de celle de l'ambassadeur de la République fédérale à Stockholm.

La fille avait été habile. Dès son arrivée au siège de la police, elle avait demandé à téléphoner à un avocat. On n'avait pu le lui refuser. Elle avait prétendu vouloir conserver toutes ses chances si jamais elle engageait plus tard une procédure contre la direction de l'hôtel. L'avocat était arrivé très vite et il était à côté de Monica Weiss lorsque, après les vérifications habituelles, elle fut identifiée comme étant Birgitt Haas. Les autorités allemandes auraient souhaité sans doute garder cette arrestation secrète, mais l'avocat fit un raffut épouvantable et donna une conférence de presse. A partir de ce moment, la vie de l'ambassadeur enlevé ne valait plus un clou!

Le chancelier ne voulut pas céder. Pour le reste, vous connaissez l'histoire aussi bien que moi. La presse fit ses choux gras des longues négociations qui suivirent. Un jour l'espoir, un jour le désespoir, avec ce sens déplorable que les journalistes ont du sensationnel. Pendant ce temps, des nuées d'agents spéciaux de tous les pays d'Europe ratissaient les milieux souterrains. Le vieux cœur du bourreau connaissait une nouvelle jeunesse dans cette chasse où tous les coups étaient permis. Seule restait intouchable Birgitt Haas dans sa cellule de la prison de Munich, veillée jour et nuit par deux gardiennes. L'Allemagne fédérale ne pouvait plus se permettre un mort de plus...

Le temps passa, les ultimatums aussi et, après quelques semaines de fermeté « exemplaire » (l'adjectif avait été employé dans la presse), le cadavre de l'ambassadeur fut découvert plié en deux dans une poubelle, au milieu d'une rue de Lille. Il fallait toujours que cela se passe sur notre territoire... Ainsi l'Allemagne nous accusa de nouveau de donner refuge aux terroristes...

L'autopsie du corps de l'ambassadeur révéla qu'il avait été tué d'une balle dans la nuque. Mais depuis trois jours les journalistes avaient eu le temps de raconter sa mort d'une multitude de façons. Les uns prétendaient qu'il avait été égorgé, d'autres étranglé. Certains parlaient de corde de violon — une réminiscence, j'imagine, de la mise à mort de Canaris — et d'autres tortures moins racontables encore...

Avec le temps, nos « fouille-merde » finiraient bien par mettre le pied sur un terrain miné. Déjà, on s'interrogeait sur cette étrange agression dont avait été victime Haas dans son hôtel de Munich — « un simulacre de viol, avait dit son avocat, comme si l'on avait voulu la faire arrêter accidentellement » — et, bien sûr, on y avait vu le machiavélisme de services spéciaux étrangers, préoccupés de pousser les Allemands à agir. De leur côté, les Allemands, Steinhoff en tête, s'étaient demandé à leur tour si le « ratage » de Munich n'avait pas été manigancé par nos services pour mettre Bonn dans l'embarras et nous venger de l'écrasement du franc par le mark. D'autres insinuations plus perfides vinrent en leur temps et, comme je l'ai dit plus haut, nous en arrivâmes aux injures...

La nuit de ma déconfiture avec Cavana, je déposai dans mon tiroir le paquet qui contenait les papiers de Bauman, me promettant d'envoyer les photos au laboratoire. La Routine! Ce fut la dernière chose que je fis durant cette semaine.

Partout, on préparait Noël et les gens se foutaient pas mal de nos petites histoires. Les journaux ne parvenaient même plus à les intéresser aux actes de terrorisme. En revanche, on parlait beaucoup de remaniement au gouvernement et je devinais la disgrâce prochaine du ministre.

Nous fêtâmes Noël, ma femme et moi, en compagnie de quelques amis de famille et, comme aucun d'entre eux ne connaissait la réalité de mes occupations, les uns et les autres commentèrent l'actualité en expédiant ici et là un coup de pied au service dont j'avais la responsabilité. Sans le savoir, ils me firent sentir eux aussi que je devenais vieux. L'un d'eux, plus hardi, et croyant me faire plaisir, me lança même : « Alors, cette retraite, c'est pour bientôt? »

Ma femme me jetait des regards navrés et cette nuit-là, en m'embrassant, elle ne me souhaita pas de beaux rêves comme elle en avait l'habitude depuis quarante ans... Elle me dit timidement : « Pourquoi fais-tu toutes ces choses qui te tracassent? Pourquoi ne les laisses-tu pas tomber? »

Je crois que je lui répondis quelque chose comme : « A toutes les histoires, il y a toujours une postface. Rien n'est jamais vraiment fini! » Elle me regarda encore de ses grands yeux bleus admirables dont la candeur restait inaccessible aux années qui passaient : « Tu sais, ton ministre est peut-être un grand cynique, mais il a raison, mon pauvre ami : tu te bats pour quelques variétés de fromage et des églises en ruine! »

A part moi, je pensai : « Et si tu savais avec quelles armes dégueulasses je me bats!... » Il y a des choses qu'on ne peut pas dire, même à celle qui a choisi de partager avec vous le pain gris des mauvais jours...

Trois jours avant la fin de l'année, je reçus le rapport du laboratoire sur les photos trouvées dans la poche de Bauman : celle qui m'avait intrigué le plus parce que Madeleine y était seule dans un décor indéchiffrable avait été tirée au moins un an plus tôt Je rangeai les photos avec ce qui restait du dossier Bauman, c'est-à-dire tout ce que les hommes de Gasser avaient raflé à son domicile après sa mort, y compris le fameux

« cahier intime », que je n'eus même pas le courage de rouvrir. Rien ne m'intéressait plus de cette aventure sordide.

Le 30 décembre tombant un vendredi, les fonctionnaires de mon service vinrent me présenter leurs vœux. On fit sauter quelques bouchons et je crois bien que je bus quelques verres de trop. Ils étaient tous là, Delaunay, Gasser, Cavana, qui profita de l'occasion pour inviter toute l'équipe à un déjeuner le samedi de la semaine suivante dans sa « propriété de famille » à Chatou. Il était détendu, mais quelque chose me déplaisait toujours dans sa mise trop ajustée.

Gasser me souffla dans le creux de l'oreille :
« Il m'est toujours aussi antipathique, mais il a su prendre certaines responsabilités. Que vous le vouliez ou non, il fait partie des nôtres...
— Nous verrons, dis-je simplement.
— Vous viendrez? demanda Gasser.
— Et vous?
— Certainement. Peut-être se déboutonnera-t-il un peu plus dans l'intimité...
— Nous verrons, répétai-je.
— Alors, vous viendrez?
— D'accord, mais avec nos épouses... Ce sera moins professionnel... »

La « partie » offerte par Cavana se déroula au bout de cette semaine qui vit l'exécution de l'ambassadeur d'Allemagne fédérale et nous n'avions pas été à la fête pendant ces quelques jours qui ouvraient si mal l'année.

Cavana habitait une de ces vieilles maisons de maître comme on en construisait beaucoup au début du siècle dans cette région de proche banlieue encore annexée par la classe possédante. L'intérieur était meublé avec élégance, mais sans recherche spéciale. On avait l'impression que Cavana avait pris le catalogue d'une grande maison et tout acheté chez le même fournisseur pour qu'il n'y ait pas de fausse note dans le décor. C'était un homme organisé.

Le déjeuner avait été commandé chez un traiteur : pas de risque non plus de ce côté-là. J'étais sûr qu'il n'avait pas de cave. A la rigueur, on aurait pu imaginer qu'il avait loué la maison pour la circonstance.

La vague de froid agonisait lentement et un soleil vacillant réchauffait l'atmosphère. Après le café, Cavana proposa une promenade, et nous fîmes une petite trotte jusqu'au Vésinet, qui se transforma vite en marche forcée, Gasser tenant absolument à nous prouver sa parfaite condition physique. Ç'aurait été un beau cliché pour un photographe, pensai-je, que cette image des services secrets français aux champs...

Nous traversâmes un petit pont, près de la grande mare où batifolaient les canards et où se pavanaient deux ou trois cygnes. Quelqu'un fit une réflexion sur la tristesse des saules pleureurs dont les tiges déplumées traînaient dans l'eau. Poursuivant notre marche, nous atteignîmes une construction baroque où dominait la brique rouge. Tous les volets en étaient fermés et on la devinait inhabitée. Une de ces dames s'étonna de l'abandon de cette étrange demeure et Cavana répondit que la maison avait servi de résidence secondaire à une ambassade étrangère qui l'avait mise en vente depuis six mois, sans succès, semble-t-il; les prix pratiqués par les agents immobiliers dans le secteur étaient un peu trop élevés.

La conversation traîna sur la spéculation immobilière et, comme le soleil fléchissait, Cavana nous proposa de rentrer.

Thé, gâteaux, les dames parlaient chiffon et les messieurs tentaient de dénouer les tensions qui avaient miné le service depuis quelques mois. Puis on servit le whisky, un alcool auquel je ne résiste ni physiquement ni moralement. Après trois verres, je me sentis lourd, pâteux et proche d'une catastrophe. Quelque chose s'était déclenché dans mon inconscient, quelque chose dont je craignais la révélation. Les motifs se déplaçaient rapidement et ne tarderaient peut-être pas à constituer la tapisserie de mon rêve éveillé, mais, pour l'instant, j'étais dans l'état d'un homme frappé d'amnésie.

Je passai le voyage de retour à reconstituer les faits de l'après-midi à la recherche du détail que j'avais pu enregistrer. J'étais très las et j'avais laissé le volant à ma femme, regardant la route s'ouvrir devant nous entre les rangées d'arbres noirs et sinistres dressés dans le clair de lune... Les arbres, encore les arbres... Je somnolais... Et soudain je me réveillai en sursaut : le déclic avait fonctionné... J'avais retrouvé le motif initial de la tapisserie : les arbres, bien sûr!

Nous venions d'entrer dans Paris et je deman-

267

dai à ma femme de me déposer place Beauvau.

« Que se passe-t-il?

— Un détail à vérifier.

— Si urgent? demanda-t-elle...

— Oui, je dormirai mieux ensuite... Enfin, j'espère me tromper. »

Elle me quitta avec ce sourire tendre et résigné que je lui avais toujours connu.

« Je t'appellerai », dis-je.

Je fis à pied les quelques pas qui me séparaient de la petite entrée de la rue Cambacérès. Le planton de nuit ne me connaissait pas et je dus lui montrer ma carte.

Dès que je fus dans mon bureau, je me mis à fouiller dans le dossier « Desperado », réveillai le service de permanence, me fis transmettre le dossier du personnel de mon service et appelai le Quai d'Orsay. Puis, quand je compris avec horreur que tous les motifs s'intégraient parfaitement dans la tapisserie, j'appelai Gasser. Il était deux heures du matin et le chef du service « Action » n'était pas particulièrement de bonne humeur lorsque je le tirai du sommeil :

« C'est si grave que ça?

— Plus que vous ne croyez... Rappliquez en vitesse... Et cela doit rester entre vous et moi!

— Ah! fit-il, narquois, vous pensez que je vais rencontrer du monde à une heure pareille. »

Mais il comprit que je faisais allusion au coup de Colmar.

Quand il fut dans mon bureau, les tasses de café que j'avais fait monter venaient d'arriver et j'avais disposé devant moi les pièces du puzzle :

le « cahier » de Bauman et divers documents.

« Asseyez-vous, dis-je à Gasser, et buvez votre café tant qu'il est chaud. Je vais essayer d'être bref — c'est ce qu'on dit en général quand on s'apprête à être long.

« Vous vous en doutez, si je vous ai fait venir, c'est parce qu'il y a un os dans notre affaire « Desperado » et ce que j'appellerai un os d'éléphant. Mon pauvre vieux, nous avons été manipulés comme des enfants. (Il me regarda, effaré, et se pinça pour voir s'il était éveillé.) Vous vous souvenez comme tout a bien marché, trop bien marché dès le début. Je sais que, dans le service, tout le monde m'a reproché la sympathie que je portais à Bauman. Et moi-même je m'étais persuadé que mon désir de connaître notre « pigeon » relevait d'un gâtisme envahissant. Toutes ces allées et venues entre ici et les Gobelins étaient parfaitement ridicules si l'on se place d'un point de vue purement objectif d'efficacité. Mais, comme je vous l'ai dit, tout collait trop bien : les écoutes d'abord, le pigeon idéal ensuite... Puis certains détails pas élucidés comme l'existence de ce fameux Georges dont il est fait mention dans le journal de Bauman. Nous ne pensions qu'à notre mission munichoise et nous ne voyions pas ce qui aurait dû nous crever les yeux et qu'une promenade champêtre cet après-midi m'a fait entrevoir seulement.

« Vous vous souvenez qu'à un moment quelqu'un a dit quelque chose sur la tristesse des saules pleureurs. Et c'est de là que tout est parti. Nous nous trouvions alors sur un petit pont qui enjambe un bout de canal près de la mare aux canards et nous avons ensuite dépassé une demeure en brique rouge...

« Eh bien, regardez cela. »

Je lui tendis la photo que le laboratoire m'avait renvoyée la semaine précédente.

« Bon Dieu, jura Gasser après avoir examiné le document. Vous avez raison. C'est l'endroit où nous étions avec le pont à balustrade métallique, le saule et le bâtiment au fond. Mais je ne me souviens pas d'un drapeau.

— Non, il n'y avait pas de drapeau, mais j'ai remarqué une hampe. J'ai téléphoné au Quai d'Orsay tout à l'heure et j'ai demandé le service des ambassades. Ils ont cru que j'étais devenu fou, mais ils m'ont trouvé le renseignement que je cherchais : la résidence en question était occupée il y a six mois encore par la légation des « Trucial States » (autrement dit, les Emirats arabes). Et vous savez de quelle couleur est le drapeau de ce pays : rouge orangé! Ça colle, non?

— Oui, mais ça prouve quoi? Que Madeleine Bauman a été photographiée sur ce pont devant ce saule pleureur et sous ce drapeau... Si quelqu'un avait eu un appareil cet après-midi, il aurait pu en faire autant avec nous...

— Très juste. Mais, si nous étions là-bas, c'est parce que quelqu'un nous y avait emmenés. Et ce quelqu'un c'est Cavana!

— Eh! vous allez un peu vite...

— Pas aussi vite que lui. Je vais vous rafraîchir la mémoire. Depuis le début de cette affaire, il essaie de nous mêler à toutes les décisions, mais vous remarquerez que c'est lui qui a pris toutes les initiatives : lui qui a proposé la solution du crime passionnel, lui qui a eu l'idée des écoutes, lui encore qui a découvert Bauman, lui enfin qui a donné l'ordre de l'exécuter en vous mettant dans le coup pour s'assurer que la besogne serait bien faite, même si Munich ne voulait pas se salir les mains davantage... D'après notre labo, il y a un peu plus d'un an que cette photo a été tirée, c'est-à-dire à peu près à l'époque où, selon Bauman, Madeleine a commencé à le tromper. Ce petit salaud s'est servi de nous !

— Il y a un détail que vous avez omis : Bauman, d'après son « cahier », accusait un certain Georges... Cavana s'appelle Roland.

— Je sais et cela m'a gêné un moment, mais j'ai demandé le dossier de Cavana : Roland est son premier prénom, mais son prénom usuel — celui qu'il a souligné sur sa fiche d'identité — est Georges. Autrement dit, pour les dames et les amis, Cavana est le cher petit Georges.

— Ce ne sont pas des preuves !

— Bien sûr, mais vous comprenez qu'il n'est pas question de le faire passer devant la cour d'assises de la Seine. Vous connaissez les règles du service, ce sont très exactement les lois du milieu.

« Réunissez une équipe de durs et faites-lui cracher le morceau... Que Delaunay dirige l'interrogatoire. Il faut que l'affaire soit réglée avant demain soir. Ne le torturez pas inutilement s'il coopère. Pour la suite, vous savez ce qu'il faut faire.

— Ainsi, dit Gasser, ma première impression sur ce gars-là était la bonne!

— Oui, mon vieux, vous aviez du flair. Je me souviens vous avoir entendu dire que vous aimeriez lui briser les reins. Vous allez pouvoir satisfaire ce souhait. »

Je le congédiai d'une tape sur l'épaule et allai dormir égoïstement, sachant l'affreuse besogne qui l'attendait.

J'ai aujourd'hui sur mon bureau le texte des aveux complets de Cavana. Quand Delaunay lui eut mis sous les yeux la liste des présomptions qui pesaient sur lui, il tenta de le prendre de haut, puis il comprit que les durs de Gasser allaient lui faire vraiment mal et il leur raconta ce qu'ils voulaient savoir : il y avait deux ans qu'il connaissait les Bauman et un peu plus de dix-huit mois qu'il était l'amant de Madeleine Bauman. Il n'était pas satisfait de cette liaison, car Madeleine avait d'autres hommes dans sa vie. Il avait réussi à la convaincre de l'épouser, mais elle se retranchait toujours derrière la bonne excuse : son mari refusait le divorce... Alors, quand cette opération avait été lancée contre Haas, il avait pensé que Bauman ferait l'affaire. Il savait par Madeleine suffisamment de choses sur ce « pigeon royal » (c'est l'expression qu'il utilisa) pour construire une histoire vraisemblable. Il avait fait surveiller la ligne téléphonique de Bauman par un agent de la D.S.T. qui lui servait d'indicateur au ministère des Postes et télécommunications.

Et c'est ainsi qu'il avait eu l'idée de « Détresse Assistance »... Madeleine s'était doutée de quelque chose lorsque l'affaire avait mal tourné, mais Cavana eut l'élégance de la décharger de toute responsabilité dans le traquenard qu'il avait tendu à son mari. Il précisa qu'il avait tout fait pour écarter les soupçons de Madeleine et confirmer, comme je le lui avais dit moi-même, que Bauman avait été chargé d'une mission importante et confidentielle...

Delaunay lui rappela alors les règles de notre service et Cavana ne fit aucune difficulté pour écrire sous sa dictée une lettre d'adieux. Puis il se tourna vers les hommes de Gasser et leur demanda s'il pouvait quelque chose pour eux.

« Je vois que vous n'avez pas prévu de prêtre pour moi », dit-il ironiquement. Ce furent ses dernières paroles.

Commencé à huit heures du matin, l'interrogatoire avait pris fin à dix heures et la conclusion y fut apportée vers dix heures trente.

Les journaux du lendemain relatèrent en première page le suicide d'un haut fonctionnaire, Roland Cavana, qui s'était jeté par la fenêtre dans un moment de dépression. L'appartement parisien du fonctionnaire en question était situé dans une petite rue du XVIe arrondissement et son suicide n'avait pas eu de témoin. Son corps avait été découvert par une concierge du voisinage peu avant onze heures.

POSTFACE

S'il faut en croire les conversations souterraines que laissèrent filtrer les officines ministérielles, ce furent encore les obsèques de Bauman qui posèrent le problème le plus gênant aux services d'Athanase. Généralement, lorsqu'un agent trouve la mort au cours d'une opération, les frais de ses funérailles, rapatriement du corps compris, sont pris en compte par le ministère intéressé, qui se charge de son inhumation dans un lieu discret. Or il apparut très vite que Bauman ne pouvait être considéré ni comme un « traitant », ni comme un « sous-traitant », ni même comme un de ces « honorables correspondants » qui pullulent dans les organismes les plus divers en France et à l'étranger. Il n'était même pas un « contractuel », si bien que son cadavre resta un bout de temps dans les réfrigérateurs de la morgue de Colmar avant que les autorités commencent à s'en préoccuper. Comme Madeleine Bauman se désintéressait complètement de la situation bien qu'elle ait été légalement la femme du défunt, personne ne songea à lui infliger les frais du retour et de l'inhumation. On craignait, Athanase le premier, qu'elle ne fît trop de bruit autour de l'événement.

Bauman étant originaire de Turckheim, la gendarmerie tenta alors une démarche auprès de sa mère. Mais la vieille femme ne jouissait déjà plus de toutes ses facultés mentales. Elle reçut les pandores en les abreuvant d'insanités qu'ils relatèrent sans discernement avec l'exactitude militaire qu'on leur connaît. Le rapport de la gendarmerie ayant été le seul document auquel les journalistes eurent accès, la personnalité de Bauman leur fut présentée comme celle d'un débauché incapable de voir passer un jupon sans le suivre des yeux. Avec ce don du mélodrame qu'affectionnent les plumitifs, le macchabée du Champ-de-Mars devint vite dans les gazettes une sorte de barbeau au passé louche qui n'avait reçu que le juste châtiment de son inconduite notoire...

Tout cela ne réglait pas la question des obsèques, si bien qu'Athanase donna l'ordre d'inhumer Bauman dans le cimetière d'un petit village de Lozère dont le maire, un ancien des services, n'était pas trop regardant.

Mais le comptable refusait toujours de payer la note de l'entreprise des pompes funèbres qu'on avait chargée de l'opération. Cette dernière avait d'abord envoyé sa facture à l'hôpital de Colmar, qui l'avait transmise au commissariat, lequel l'avait acheminée sur les Renseignements généraux. La D.S.T. en avait hérité et, après deux semaines de voyage, elle était tombée entre les mains du comptable tatillon.

Le suicide de Cavana ayant quelque peu perturbé le service, et Athanase ayant pris du champ, le temps de laisser passer l'ouragan, quelqu'un trouva plaisant d'expédier la note aux Affaires étrangères, qui l'adressèrent fort poliment aux Finances. Les Finances, peu sensibles à cette courtoisie, la retournèrent à l'Intérieur avec un avis défavorable. Le comptable incorruptible fit alors une tentative du côté des cousins germains. Mais Bonn refusa de prendre les funérailles à son compte, puisque la balle qui avait tué Bauman — prétextèrent-ils n'avait pas été tirée par leur agent Winkler. Toutefois, en réexpédiant la facture, le bureau de Steinhoff se trompa de destinataire et l'envoya aux Affaires économiques, dont le ministre titulaire venait d'être nommé aux Loisirs. Comme il avait emmené avec lui tout son cabinet, la note suivit avec quelques paperasses au rebut et termina son long périple sur le bureau d'un expéditionnaire de seconde classe, qui jugea cette facture suffisamment incongrue pour en expédier photocopie à un hebdomadaire satirique. Le journal en question, qui avait des fouineurs un peu partout, ne tarda pas à établir un rapport entre le « truand abattu à Colmar » et la note de frais d'obsèques échouée au ministère des Loisirs. Comme le ministre en question était leur tête de Turc, les journalistes s'amusèrent fort de la situation, et, le pauvre homme eut beau jurer qu'il ne connaissait le truand en question ni d'Eve ni d'Adam, il fut ridiculisé devant l'opinion publique.

Athanase estima alors qu'il s'était suffisamment « mis au vert » et fit récupérer discrètement la note par son informateur aux Loisirs. Les pompes funèbres furent réglées, mais on ne sut jamais qui avait payé l'addition. Certains affirment que, devant l'intransigeance du comptable de son service, Athanase y serait allé de ses propres deniers.

En définitive, toutes les pistes suivies par la presse aboutirent à des impasses. Les gens chargés de l'infiltration dans les milieux journalistiques avaient passé le mot : « affaire en bois », et tous ces petits messieurs avaient pris l'information pour argent comptant.

Après quoi, on songea à réorganiser le service.

Athanase perdit sa femme l'année suivante et le ministre quitta le gouvernement à peu près vers la même époque. Pour le chef des services spéciaux, c'était une double épreuve. Il songea bien à donner sa démission, d'autant que les socialistes nouvellement au pouvoir lui faisaient la vie dure, mais des pressions diverses furent exercées sur lui pour qu'il conservât son poste : il en savait trop sur trop de gens et on préférait le tenir à l'intérieur que de le savoir libre à l'extérieur.

Athanase alla consulter un éminent professeur dans l'espoir qu'il décèlerait en lui quelque maladie à évolution plus ou moins lente mais suffisamment fatale pour qu'on lui accorde une réforme.

Le médecin, qui était un vieil ami, procéda à diverses analyses et fit un bilan complet, puis il laissa tomber le verdict :

« Désolé, mon cher, mais je n'ai rien trouvé... Pas la moindre faiblesse. A vrai dire, vous m'avez même surpris par votre jeunesse... Ne me dites pas que vous en êtes étonné... Vous n'étiez pas innocent lorsque vous avez choisi votre pseudo-nyme : Athanase! (Il sourit.) Vous en connaissiez l'étymologie. Alors il faut vous résigner : vous risquez de mourir centenaire et pas nécessaire-ment gâteux...

— Athanatos... Immortel », murmura Athanase, l'air sombre.

Il rentra chez lui fort déprimé. Depuis il parle peu, voit de moins en moins ses amis. Parfois il s'aventure jusqu'en Eure-et-Loir, où le ministre a installé se retraite dans un moulin humide au bord d'une rivière lugubre. Le vieil homme lui sert toujours ce vieux whisky dont Athanase éprouve ensuite les douloureux effets. Ensemble, ils évoquent la situation mondiale et le bon vieux temps. Contrairement à ce qu'avait prédit son médecin, Athanase a le sentiment de devenir gâteux. Son entourage le pense aussi.

Récemment, il a fait prendre des nouvelles de Madeleine Bauman et de son fils Jérôme. Made-leine s'est remariée avec un professeur de mathé-matiques. Jérôme vient d'avoir onze ans et déses-père le couple par le peu de goût qu'il porte à la théorie des ensembles.

Un jour, Athanase s'est fait conduire par une voiture du service à la sortie de l'école que fré-quente l'enfant. Il a passé une demi-heure à relu-quer cette marmaille hurlante, espérant retrouver quelque part la petite tête de plumeau de la photo-graphie... Mais la mode a changé et les enfants ont maintenant les cheveux courts... Alors Athanase a fait signe à son chauffeur de retourner au bureau... Ce n'est plus seulement de gâtisme qu'on suspecte maintenant le vieux chef des services spéciaux...

Il n'est pas le seul à vieillir...

Delaunay a fermé sa maison d'édition de la rue de Babylone et les libraires munichois avec lesquels Bauman avait pris contact n'ont jamais plus entendu parler de l'encyclopédie universelle.

Gasser perd de sa bonne forme. Il entraîne encore les gens à tuer dans la réserve des Landes, mais il ne participe plus aux opérations.

Gravier, à qui on n'a jamais pardonné d'avoir oublié le couteau dans la débâcle de Munich, a été renvoyé au centre d'entraînement. Comme un mauvais écolier à qui on inflige de copier cent fois la phrase mal apprise, il reconstitue inlassablement sur maquette les gestes de son meurtre inachevé et il espère faire mieux la prochaine fois. Mais il n'est pas prouvé qu'il y ait pour lui de « prochaine fois ».

Weidman a des ennuis avec son foie et il a dû limiter sa consommation quotidienne de bière à trois litres.

Winkler, dont la démission a été refusée, s'ennuie derrière un bureau des services administratifs de la garde frontière.

L'agent Betz, qui avait été mis sur la touche après une pénible intrigue homosexuelle avec un Hongrois douteux, a été abattu mystérieusement au cours d'une mission en Allemagne de l'Est.

Birgitt Haas n'a pas eu de procès. Après quelques mois de détention, profitant d'un relâchement de la surveillance, elle s'est pendue dans sa cellule de la prison de Munich avec une corde de drap qu'elle avait déchiré avec ses dents.

A l'exception de son père auquel parvint un billet laconique : *Il faut bien que quelqu'un expie pour vous*, deux personnes seulement crurent à ce suicide : un jésuite de Berlin et un dominicain de Munich. Le dominicain à la tête de saint Thomas d'Aquin persiste à croire que Birgitt a eu le temps de se repentir entre le moment où elle a repoussé le tabouret sous ses pieds et celui où son corps a été agité par le dernier spasme.

Mais il est assez vraisemblable que, dans cette affaire, Dieu aussi a été perdant.

Locarno, août 1977.
Munich, novembre 1977.
Villefranche-sur-Mer, janvier 1978.

TABLE DES MATIERES

DU MÊME AUTEUR

Chez le même éditeur :

Un peu plus loin que l'Occident.
La Main d'Abraham.

IMPRIMÉ EN FRANCE PAR BRODARD ET TAUPIN
7, bd Romain-Rolland - Montrouge - Usine de La Flèche.
LIBRAIRIE GÉNÉRALE FRANÇAISE.
ISBN : 2 - 253 - 02974 - 2